SE 07

Curso
MAD360

*La diferencia entre aprobar
y sacar plaza*

Cuerpo Administrativo

GENERALITAT VALENCIANA

Si aún no dispones de tu **Curso MAD360**, te ofrecemos un acceso GRATIS de 30 días para que disfrutes de los siguientes recursos:

AF212304

- Técnicas de Memoria 360.
- MADTEST: Test *online* Nivel PRO.
- Temario en formato digital.
- Vídeos.
- Esquemas.
- Planificación de estudio.
- Foro entre opositores hasta la fecha del examen.*
- Recursos y novedades exclusivas.
- Consúltanos sobre tu oposición y proceso selectivo.
- Actualizaciones legislativas (Boletines Oficiales) hasta 60 días antes de la fecha del examen.*

Para acceder a esta prueba del Curso MAD360** será necesaria la compra de todos los libros para esta especialidad de la edición 2026.

Regístrate en **mad.es/iniciar-sesion** y, en la pestaña **MIS CURSOS**, valida los códigos que encontrarás en la última página de tus libros. Recuerda que dispones de un plazo de **45 días desde la fecha de compra** para realizar la validación. Si no verificas tu matrícula, el periodo de uso del curso comenzará a contar aunque no hayas accedido.

NOTA IMPORTANTE:

* Examen de esta categoría profesional correspondiente a la convocatoria publicada en el DOGV n.º 10345, de 20 de abril de 2026, o hasta el 30 de junio de 2027, lo que se cumpla antes, y previa renovación del servicio.

** El acceso al CURSO MAD360 estará disponible desde junio de 2026 (algunos recursos podrían estar disponibles en fecha posterior). Tendrá una duración de 30 días RENOVABLES mediante pago, desde la validación de códigos, o hasta el 31 de diciembre de 2027, lo que se cumpla antes.

MAD se reserva el derecho a ampliar dichas fechas.

Cuerpo Administrativo (C1-01) de la Generalitat Valenciana

Cuerpo Administrativo (C1-01) de la Generalitat Valenciana

Test del temario

MAD · sie7e EDITORES

Autores

JOSÉ ANTONIO GUERRERO ARROYO
Cuerpo Superior de Letrados
Cuerpo Superior Jurídico de Comunidad Autónoma

PATRICIA PÉREZ SÁNCHEZ-ROMATE
Licenciada en Derecho

FRANCISCO JESÚS TORRES FONSECA
Licenciado en Derecho

LIDIA PONCE MARTÍNEZ
Licenciada en Psicología

CARLOS TOJEIRO ALCALÁ
Ingeniero Informático
Titulado MCP de Microsoft

SERGIO JIMENO MOLINS
Ingeniero Superior en Telecomunicaciones
Profesor de Educación Secundaria Obligatoria y Bachillerato

© 7 Editores Recursos para la Cualificación Profesional y el Empleo, S.L. (7 Editores)
© Los autores
Primera edición, mayo 2026 (216 páginas)
Derechos de edición reservados a favor de 7 Editores
IMPRESO EN ESPAÑA
Diseño Portada: 7 Editores
Edita: 7 Editores
Avda. San Francisco Javier, 9 · Edificio Sevilla 2 · Planta 11 · Módulos 25-27 · 41018 Sevilla
Teléfono: 954 784 411 · WEB: www.mad.es · e-mail: administracion@7editores.com
ISBN: 979-13-702-8897-6
© "Editorial Mad" y "Eduforma" son nombres comerciales registrados de
7 Editores Recursos para la Cualificación Profesional y el Empleo, S.L.

Índice

PARTE GENERAL

I. CONSTITUCIÓN

Test n.º 1. La Constitución Española de 1978: Título Preliminar; Título I, De los Derechos y Deberes Fundamentales... 17

Test n.º 2. La Constitución Española de 1978: Título II, La Corona; Título III, De las Cortes Generales: Capítulo I, De las Cámaras; Capítulo II, De la elaboración de las leyes 21

Test n.º 3. La Constitución Española de 1978: Título IV, Del Gobierno y la Administración; Título V, De las relaciones entre el Gobierno y las Cortes Generales... 25

Test n.º 4. La Constitución Española de 1978: Título VI, Del Poder Judicial; Título IX, Del Tribunal Constitucional... 29

Test n.º 5. La Constitución Española de 1978: Título VIII, De la organización territorial del Estado 33

II. ORGANIZACIÓN DE LA COMUNITAT VALENCIANA

Test n.º 6. El Estatuto de Autonomía de la Comunitat Valenciana: Preámbulo; Título I, La Comunitat Valenciana; Título II, De los Derechos de los valencianos y valencianas; Título III, La Generalitat; Título IV, Las Competencias.... 39

Test n.º 7. La Ley 5/1983, de 30 de diciembre, del Consell: Título I, Del President de la Generalitat; Título II, Del Consell: Capítulo I, Del Consell y su composición; Capítulo II, De las atribuciones del Consell; Capítulo III, Del funcionamiento del Consell; Capítulo VI, De la iniciativa legislativa, de los Decretos Legislativos y de la potestad reglamentaria del Consell; Título III, De las relaciones entre el Consell y Les Corts... 43

Test n.º 8. La Ley 5/1983, de 30 de diciembre, del Consell: Título II, Del Consell: Capítulo IV, De la Conselleria y de los Consellers; Capítulo V, Del Estatuto Personal de los Consellers; Título IV, De la Administración Pública de la Generalitat; Título V, De la responsabilidad de los miembros del Consell y de la Administración Pública de la Generalitat.............................. 47

III. UNIÓN EUROPEA

Test n.º 9. El Tratado de la Unión Europea: Disposiciones comunes. El Tratado de Funcionamiento de la Unión Europea: actos jurídicos de la Unión, procedimientos de adopción y otras disposiciones 53

IV. MATERIAS TRANSVERSALES

Test n.º 10. La Ley Orgánica 3/2007, de 22 de marzo, para la igualdad efectiva de mujeres y hombres: Título Preliminar, Objeto y ámbito de la Ley; Título I, El principio de igualdad y la tutela contra la discriminación; Título II, Políticas públicas para la igualdad. La Ley 9/2003, de 2 de abril, de la Generalitat, para la igualdad de mujeres y hombres: Título I, Objeto, principios generales y ámbito de la Ley; Título III, Igualdad y Administración Pública. La Ley 4/2023, de 28 de febrero, para la igualdad real y efectiva de las personas trans y para la garantía de los derechos de las personas LGTBI: Deber de protección; Medidas en el ámbito administrativo 61

Test n.º 11. La Ley Orgánica 1/2004, de 28 de diciembre, de medidas de protección integral contra la violencia de género: Título Preliminar; Título I, medidas de sensibilización, prevención y detección; Título II, Derechos de las mujeres víctimas de violencia de género......................... 67

Test n.º 12. Ley 19/2013, de 9 de diciembre, de Transparencia, acceso a la información pública y buen gobierno: Título Preliminar; Título I, Transparencia de la actividad pública. La Ley 1/2022, de 13 de abril, de la Generalitat, de Transparencia y Buen Gobierno de la Comunitat Valenciana 71

PARTE ESPECIAL

I. DERECHO ADMINISTRATIVO Y GESTIÓN PÚBLICA

Test n.º 1. La Ley 39/2015, de 1 de octubre, del procedimiento administrativo común de las Administraciones Públicas: Título Preliminar, Disposiciones generales; Título I, De los interesados en el procedimiento; Título II, De la actividad de las Administraciones Públicas.............................. 81

Test n.º 2. La Ley 39/2015, de 1 de octubre, del procedimiento administrativo común de las Administraciones Públicas: Título III, De los actos administrativos 87

Test n.º 3. La Ley 39/2015, de 1 de octubre, del procedimiento administrativo común de las Administraciones Públicas: Título IV, De las disposiciones sobre el procedimiento administrativo común; Título V, De la revisión de los actos en vía administrativa 93

Test n.º 4. Los órganos de las Administraciones Públicas. Principios de actuación y funcionamiento. Clases de órganos. Órganos colegiados. La competencia: naturaleza, clases y criterios de delimitación. Las relaciones interorgánicas: coordinación y jerarquía. Desconcentración y delegación de competencias. Delegación de firma. Encomienda de gestión. Avocación... 99

Test n.º 5. Actividad de limitación, arbitral y de fomento. La Ley 38/2003, de 17 de noviembre, General de Subvenciones: Título Preliminar, Disposiciones generales; Título I, Procedimientos de concesión y gestión de las subvenciones. La Ley 1/2015, de 6 de febrero, de Hacienda Pública, del Sector Público Instrumental y de Subvenciones: Título X, Subvenciones.................................. 105

Test n.º 6. Los contratos del sector público. Objeto y ámbito de aplicación de la Ley de Contratos del Sector Público. Delimitación de los tipos contractuales. Contratos administrativos y contratos privados. Perfección y forma del contrato. Régimen de invalidez. Partes del contrato. Objeto, presupuesto base de licitación, valor estimado, precio del contrato y su revisión. Garantías exigibles en la contratación del sector público. Normas generales de la preparación de contratos por las administraciones públicas.................. 111

Test n.º 7. La Administración electrónica en la Comunitat Valenciana. Protección de datos de carácter personal. Decreto 30/2025, de 25 de febrero, del Consell, por el que se regula la atención a la ciudadanía y las oficinas de asistencia en materia de registro en la Administración y el sector público instrumental de la Generalitat 119

II. FUNCIÓN PÚBLICA

Test n.º 8. La regulación constitucional de la función pública. El Real Decreto Legislativo 5/2015, de 30 de octubre, que aprueba la Ley del Estatuto Básico del Empleado Público: Objeto y ámbito de aplicación. La Ley 4/2021, de 16 de abril, de la Función Pública Valenciana: Objeto, principios y ámbito de aplicación de la ley. Organización de la administración de la Generalitat en materia de función pública 129

Test n.º 9. Personal al servicio de las administraciones públicas: Concepto y clases de personal empleado público; Dirección Pública Profesional. Estructura y ordenación del empleo público: Estructuración del empleo público; Ordenación de los puestos de trabajo; Instrumentos de planificación y ordenación del empleo público; Registros de personal...................... 135

Test n.º 10. Situaciones administrativas del personal funcionario de carrera. Derechos, deberes y condiciones de trabajo del personal empleado público de la Generalitat. Régimen de incompatibilidades del personal empleado público. Régimen disciplinario. Nacimiento y extinción de la relación del servicio. Provisión de puestos y movilidad. Promoción profesional 143

III. GESTIÓN ECONÓMICO-PRESUPUESTARIA

Test n.º 11. El presupuesto de la Generalitat (I). Concepto y naturaleza. La estructura en los Presupuestos de la Generalitat. Los principios y reglas de programación y gestión presupuestaria. La programación presupuestaria y el objetivo de estabilidad. Contenido y créditos iniciales, elaboración y remisión a Les Corts. Presupuestos consolidados. Tramitación y aprobación. Prórroga 151

Test n.º 12. El presupuesto de la Generalitat (II). Procedimiento de gestión presupuestaria. Gestión presupuestaria. Pagos a justificar. Anticipos de Caja Fija. Operaciones de ejecución. Los créditos presupuestarios y sus modificaciones. Ley de Presupuestos de la Generalitat vigente: normas para la modificación de los presupuestos y competencias para su autorización. Normas generales de la gestión. Carácter limitativo de los créditos. Su contabilización. Procedimiento de gestión del presupuesto de la Generalitat 155

Test n.º 13. El control interno de la gestión económico-financiera de la Generalitat efectuado por la Intervención General de la Generalitat: ámbito y objetivos, principios de actuación y prerrogativas, deberes y facultades del personal controlador, deber de colaboración y asistencia jurídica; planes anuales y elevación al Consell de informes generales. La función interventora. El control financiero. La auditoría pública. La supervisión continua. El control externo. El control del Tribunal de Cuentas: su función fiscalizadora, el enjuiciamiento contable y su relación con la Sindicatura de Comptes 161

Test n.º 14. Ley 1/2015, de 6 de febrero, de Hacienda Pública, del Sector Público Instrumental y de Subvenciones: Título VII, Contabilidad del Sector Público de la Generalitat 167

IV. INFORMÁTICA BÁSICA Y OFIMÁTICA

Test n.º 15. Informática básica: Conceptos fundamentales sobre el hardware y el software. Sistemas de almacenamiento de datos. Tipos de conectividad. Sistemas operativos. Nociones básicas de seguridad informática 175

Test n.º 16. Introducción al sistema operativo: El entorno Windows 11. Fundamentos. Trabajo en el entorno gráfico de Windows: ventanas, iconos, menús contextuales, cuadros de diálogo. El escritorio y sus elementos. El menú inicio y la barra de tareas. Herramientas básicas (calculadora, bloc de notas y herramientas recortes) 179

Test n.º 17. El Explorador de archivos de Windows 11. Gestión de carpetas y archivos. Operaciones de búsqueda. Carpetas locales y carpetas de red. Accesos directos. Carpeta de descarga de archivos. Microsoft OneDrive... 185

Test n.º 18. Correo electrónico Outlook de Microsoft 365: Conceptos elementales y funcionamiento. El entorno de trabajo. Redactar, enviar, recibir, responder y reenviar mensajes. Búsqueda de mensajes. Reglas de recepción de mensajes. Libretas de direcciones. Carpetas de trabajo. Calendario de trabajo 189

Test n.º 19. Procesador de texto Word de Microsoft 365: Principales funciones y utilidades. Creación, estructuración y maquetación de documentos. Generación, grabación, recuperación e impresión de documentos. Importación y exportación de formatos. Dictado. Revisión de documentos 195

Test n.º 20. Hojas de cálculo Excel de Microsoft 365: Principales funciones y utilidades. Libros, hojas y celdas. Configuración. Introducción y edición de datos. Fórmulas y funciones. Gráficos. Gestión de datos. Importación de datos 199

Test n.º 21. Plataforma colaborativa Teams de Microsoft 365: Uso de chat y llamadas. Estados. Estructura: Equipos, canales y conversaciones. Compartición de información. Menciones. Lanzamiento y recepción de convocatorias de reunión por videoconferencia 203

Test n.º 22. Navegadores web: Conceptos básicos y definición. Navegación por pestañas, marcadores, historial, ajustes de privacidad y seguridad. Extensiones y complementos, Navegación segura, identificación de phishing y malware 207

Test n.º 23. Herramientas de Inteligencia Artificial (IA): Nociones sobre el uso, la fiabilidad y los riesgos en el puesto de trabajo. Prompting básico ... 211

PARTE GENERAL

I. Constitución

TEST N.º 1

La Constitución Española de 1978: Título Preliminar; Título I, De los Derechos y Deberes Fundamentales

1. ¿En qué se fundamenta la Constitución Española?

a) En un Estado social y democrático de Derecho.
b) En la indisoluble unidad de la Nación española.
c) En la independencia de los poderes del Estado.
d) En la organización territorial del Estado.

2. Según el artículo 3 de la CE, el castellano es la lengua oficial del Estado y todos los Españoles:

a) Tienen el deber de usar y el derecho de conocer el castellano.
b) Tienen el derecho y el deber de conocer el castellano.
c) Tienen el deber de conocer y el derecho de usar el castellano.
d) Tienen el derecho de conocer y usar el castellano.

3. La Constitución Española reconoce y garantiza el derecho a la autonomía:

a) De las nacionalidades que la integran.
b) De las regiones que la integran.
c) De las Comunidades Autónomas que la integran.
d) De las nacionalidades y regiones que la integran.

4. El Preámbulo de la Constitución:

a) Tiene en sí carácter de norma jurídica.
b) Es una declaración de intenciones, destinada a interpretar lo que se quiere alcanzar con el contenido normativo de la Constitución.
c) Se trata de un texto sin fuerza jurídica de obligar.
d) Las respuestas b) y c) son correctas.

5. Señala la afirmación correcta, respecto de la aprobación, ratificación y publicación de la Constitución Española:

a) Aprobada por las Cortes el 31 de octubre de 1978, ratificada por el pueblo en referéndum el 6 de diciembre de 1978 y publicada el 29 de diciembre de 1978.

b) Aprobada por las Cortes el 30 de octubre de 1978, ratificada por el pueblo en referéndum el 16 de diciembre de 1978 y publicada el 27 de diciembre de 1978.

c) Aprobada por las Cortes el 31 de octubre de 1978, ratificada por el pueblo en referéndum el 16 de diciembre de 1978 y publicada el 29 de diciembre de 1978.

d) Aprobada por las Cortes el 10 de octubre de 1978, ratificada por el pueblo en referéndum el 26 de diciembre de 1978 y publicada el 30 de diciembre de 1978.

6. ¿En qué parte de la Carta Magna se establece la exposición de motivos que impulsan la norma constitucional y los objetivos que con ella se pretenden alcanzar?

a) En el Título preliminar.
b) En el Preámbulo.
c) En el Título I.
d) En el Título II.

7. La Constitución Española fue sancionada por:

a) El Rey.
b) El Presidente del Congreso.
c) Las Cortes Generales.
d) El Presidente del Gobierno.

8. ¿Cuáles de los siguientes españoles de origen pueden ser privados de su nacionalidad?

a) Exclusivamente los miembros de grupos terroristas.
b) Los miembros de grupos terroristas y los que atenten contra el Rey u otro miembro de la Casa Real.
c) Los que atenten contra un miembro de la Familia Real o del Gobierno de la Nación.
d) Ningún español de origen podrá ser privado de su nacionalidad.

9. Según la CE son fundamentos del orden político y la paz social:

a) La dignidad de la persona, los derechos violables que les son inherentes y el respeto a la ley.
b) La dignidad de la persona, el desarrollo limitado de la personalidad y el respeto a la ley.
c) El respeto a la ley, a los reglamentos administrativos y demás disposiciones legales.
d) La dignidad de la persona, los derechos inviolables que le son inherentes, el libre desarrollo de su personalidad, el respeto a la ley y a los derechos de los demás.

10. ¿Cuál de los siguientes es considerado por la CE como uno de los valores superiores del ordenamiento jurídico?

a) La jerarquía normativa.
b) El pluralismo político.

c) La publicidad normativa.
d) La equidad.

11. La forma política del Estado español es:

a) Democracia parlamentaria.
b) Gobierno parlamentario.
c) Monarquía parlamentaria.
d) República democrática.

12. La parte de la CE que regula la estructura de los principales órganos del Estado recibe el nombre de:

a) Parte dogmática.
b) Parte orgánica.
c) Parte estatal.
d) Parte estructural.

13. Según la CE, la soberanía nacional:

a) Corresponde a las Cortes Generales, al estar compuestas por los representantes del pueblo.
b) Corresponde al Rey.
c) Reside en el pueblo español.
d) Corresponde al Gobierno de la Nación elegido directamente por el pueblo.

14. El derecho a la propiedad en nuestra Constitución es un Derecho:

a) Inherente a la condición humana.
b) Absoluto.
c) Limitado por la función social de la misma.
d) Ninguna de las respuestas anteriores es correcta.

15. ¿En qué parte de la Carta Magna se señalan los valores superiores del ordenamiento jurídico?

a) En el Preámbulo.
b) En el Título Preliminar.
c) En el Título I.
d) Ninguna respuesta es correcta.

En MADTEST tienes **más preguntas de este tema**, y todos tus avances quedan registrados y se reflejan en el ranking.

¡Supera tus límites con MADTEST!

Solución al test n.º 1

1. b) En la indisoluble unidad de la Nación española.

2. c) Tienen el deber de conocer y el derecho de usar el castellano.

3. d) De las nacionalidades y regiones que la integran.

4. d) Las respuestas b) y c) son correctas.

5. a) Aprobada por las Cortes el 31 de octubre de 1978, ratificada por el pueblo en referéndum el 6 de diciembre de 1978 y publicada el 29 de diciembre de 1978.

6. b) En el Preámbulo.

7. a) El Rey.

8. d) Ningún español de origen podrá ser privado de su nacionalidad.

9. d) La dignidad de la persona, los derechos inviolables que le son inherentes, el libre desarrollo de su personalidad, el respeto a la ley y a los derechos de los demás.

10. b) El pluralismo político.

11. c) Monarquía parlamentaria.

12. b) Parte orgánica.

13. c) Reside en el pueblo español.

14. c) Limitado por la función social de la misma.

15. b) En el Título Preliminar.

TEST N.º 2

**La Constitución Española de 1978: Título II, La Corona;
Título III, De las Cortes Generales: Capítulo I, De las cámaras y
Capítulo II, De la elaboración de las leyes**

1. Según la Constitución Española, arbitra y modera el funcionamiento regular de las instituciones:

a) El Presidente del Gobierno.
b) El Rey.
c) El Estado.
d) Los tribunales de Justicia.

2. Las abdicaciones y renuncias se resolverán:

a) Por ley.
b) Por decreto ley.
c) Por decisión de las Cortes Generales.
d) Por ley orgánica.

3. Si no hubiese a quien corresponda la Regencia, esta será nombrada por:

a) Las Cortes Generales.
b) El Congreso de los Diputados.
c) El Senado.
d) El Gobierno.

4. No necesita de refrendo:

a) Declarar la guerra y hacer la paz.
b) Expedir los decretos acordados en Consejo de Ministros.
c) Nombrar y relevar a los miembros civiles y militares de la Casa Real.
d) Todos los actos del Rey necesitan refrendo.

5. ¿A quién corresponde manifestar el consentimiento del Estado para obligarse por medio de tratados?

a) Al Rey.
b) Al Gobierno.
c) Al Estado.
d) Al Presidente del Gobierno.

6. Según el art. 59.5 de la Carta Magna, la Regencia se ejercerá:

a) Por mandato constitucional y en nombre del pueblo español.
b) Por mandato constitucional y en nombre de las Cortes Generales.
c) Por mandato constitucional y en nombre de la soberanía popular.
d) Por mandato constitucional y en nombre del Rey.

7. La asunción de funciones constitucionales por la Reina consorte:

a) Está prevista como regla general.
b) Depende de la voluntad del Rey.
c) Está prohibida.
d) Está limitada.

8. La tutoría del Rey puede recaer en:

a) Cualquier persona nombrada por las Cortes Generales, en su caso.
b) Sus hijos.
c) Una, tres o cinco personas.
d) Nada de lo anterior es cierto.

9. Una hija del Príncipe de Asturias ostentará este tratamiento:

a) Cuando su padre acceda a la condición de Rey, si es la primogénita, aunque tenga hermanos varones.
b) Al morir su padre.
c) Al acceder a Rey su padre, si no tiene hermano varón.
d) Cuando delegue en ella el propio Príncipe.

10. La Regencia se ejerce:

a) Por mandato del Rey.
b) En nombre de este.
c) Por mandato constitucional.
d) Las respuestas b) y c) son correctas.

11. La dirección de la defensa del Estado es competencia genuina del/de las:

a) Rey.
b) Fuerzas Armadas.
c) Gobierno de la Nación.
d) Todos ellos.

12. El refrendo de los actos del Rey está íntimamente relacionado con:

a) Su irresponsabilidad política.
b) Su inhabilitación.
c) La Regencia.
d) Sus poderes discrecionales.

13. En caso de que el Rey sea menor de edad:

a) No tomará posesión de su cargo hasta su mayoría de edad.
b) Ejercerá la Regencia el Príncipe heredero.
c) Ejercerá la Regencia su cónyuge.
d) Nada de lo anterior es cierto.

14. Si el Príncipe heredero tuviera descendientes y renunciara a sus derechos al trono:

a) Su cónyuge ejercería la Regencia hasta que su primogénito varón fuere mayor de edad.
b) Su cónyuge ejercería la Regencia hasta que dicho primogénito fuera proclamado Rey.
c) Se nombraría Princesa heredera a su hermana mayor, si la hubiere.
d) Nada de lo anterior es cierto.

15. La presidencia por el Rey de las reuniones del Consejo de Ministros:

a) Se permite solo respecto de las decisorias.
b) Ha de efectuarse a petición del Presidente del Gobierno de la Nación.
c) Está prevista constitucionalmente para dirigir la Administración Civil y Militar.
d) Las respuestas a) y b) son ciertas.

En MADTEST tienes **más preguntas de este tema**, y todos tus avances quedan registrados y se reflejan en el ranking.

¡Supera tus límites con MADTEST!

Solución al test n.º 2

1. b) El Rey.

2. d) Por ley orgánica.

3. a) Las Cortes Generales.

4. c) Nombrar y relevar a los miembros civiles y militares de la Casa Real.

5. a) Al Rey.

6. d) Por mandato constitucional y en nombre del Rey.

7. d) Está limitada.

8. a) Cualquier persona nombrada por las Cortes, en su caso.

9. c) Al acceder a Rey su padre, si no tiene hermano varón.

10. d) Las respuestas b) y c) son correctas.

11. c) Gobierno de la Nación.

12. a) Su irresponsabilidad política.

13. d) Nada de lo anterior es cierto.

14. c) Se nombraría Princesa heredera a su hermana mayor, si la hubiere.

15. b) Ha de efectuarse a petición del Presidente del Gobierno de la Nación.

TEST N.º 3

La Constitución Española de 1978: Título IV, Del Gobierno y la Administración; Título V, De las relaciones entre el Gobierno y las Cortes Generales

1. Según exige la Constitución Española, el Congreso de los Diputados otorga su confianza al candidato a la Presidencia del Gobierno:

a) Por mayoría especial de 3/5 de sus miembros.
b) Por mayoría cualificada de 2/3 de sus miembros.
c) Por mayoría absoluta de sus miembros.
d) Por mayoría simple de sus miembros.

2. El Rey propone al candidato a la Presidencia del Gobierno:

a) Mediante Real Decreto.
b) A través del Presidente del Gobierno saliente.
c) A través del Presidente del Congreso.
d) Ninguna respuesta es correcta.

3. La acusación de traición al Presidente y demás miembros del Gobierno en el ejercicio de sus funciones, puede ser planteada por:

a) Cualquier ciudadano mediante la acción popular.
b) Las Cortes Generales.
c) La cuarta parte de los miembros del Congreso de los Diputados.
d) El Rey.

4. Los miembros del Gobierno de la Nación serán nombrados por:

a) El Presidente del Gobierno.
b) El Rey, a propuesta del Presidente del Gobierno.
c) El Presidente del Congreso.
d) La mayoría simple de los Diputados.

5. El Presidente del Gobierno es elegido por:

a) Las Cortes.
b) El Congreso de los Diputados.
c) El Rey.
d) Directamente por los electores.

6. El Gobierno español es un órgano:

a) Presidencialista.
b) Colegiado.
c) Unipersonal.
d) Cameralista.

7. Según la Constitución, la Administración Pública ha de actuar de acuerdo con los principios de:

a) Descentralización y desconcentración.
b) Unidad y variedad.
c) Coordinación y tutela.
d) Jerarquía y delegación.

8. El control de la potestad reglamentaria del Gobierno corresponde:

a) Al Congreso.
b) Al Senado.
c) Al Tribunal de Cuentas.
d) A los Tribunales según la materia.

9. La prerrogativa real de gracia no será aplicable a:

a) Los Ministros.
b) Los Secretarios de Estado.
c) Los Subsecretarios.
d) Podrá aplicarse a todos los anteriores.

10. Según la Constitución, ¿cuál de los siguientes órganos dirige la defensa del Estado?

a) El Rey.
b) La Junta de Defensa Nacional.
c) El Ministerio de Defensa.
d) El Gobierno.

11. El debate para la elección de Presidente del Gobierno se denomina:

a) Moción.
b) Elección.
c) Investidura.
d) Propuesta.

12. ¿Cuál de las siguientes afirmaciones es correcta?

a) Los Ministros sin cartera tienen menos rango administrativo y político que el resto de los Ministros.
b) Todos los Ministros tienen idéntico rango político y administrativo.
c) Unos Ministros, denominados de Estado, tienen preferencia sobre los demás.
d) Los Ministros que cuentan con Secretarios de Estado tienen un nivel administrativo superior a los demás.

13. ¿Cómo se nombran los Ministros?

a) Por el Rey, a propuesta del Presidente del Gobierno, previo acuerdo del Consejo de Ministros.
b) Por el Rey, a propuesta del Presidente del Gobierno.
c) Por el Presidente del Gobierno, previo acuerdo del Consejo de Ministros.
d) Por el Rey, a propuesta del Presidente del Congreso.

14. El Presidente del Gobierno es nombrado por:

a) Las Cortes.
b) El Rey.
c) El Congreso de los Diputados.
d) El Senado.

15. Al Vicepresidente del Gobierno lo nombra:

a) El Presidente del Gobierno.
b) El Rey a propuesta del Presidente del Gobierno.
c) El Presidente del Congreso.
d) El Presidente del Tribunal Constitucional.

En MADTEST tienes **más preguntas de este tema,** y todos tus avances quedan registrados y se reflejan en el ranking.

¡Supera tus límites con MADTEST!

Solución al test n.º 3

1. c) Por mayoría absoluta de sus miembros.

2. c) A través del Presidente del Congreso.

3. c) La cuarta parte de los miembros del Congreso de los Diputados.

4. b) El Rey, a propuesta del Presidente del Gobierno.

5. b) El Congreso de los Diputados.

6. b) Colegiado.

7. a) Descentralización y desconcentración.

8. d) A los Tribunales según la materia.

9. a) Los Ministros.

10. d) El Gobierno.

11. c) Investidura.

12. b) Todos los Ministros tienen idéntico rango político y administrativo.

13. b) Por el Rey, a propuesta del Presidente del Gobierno.

14. b) El Rey.

15. b) El Rey a propuesta del Presidente del Gobierno.

TEST N.º 4

La Constitución Española de 1978: Título VI, el Poder Judicial; Título IX, Del Tribunal Constitucional

1. La justicia se administra en nombre del:

a) Juez o Tribunal que la imparta.
b) Pueblo español.
c) Rey.
d) Justiciable.

2. El titular de la Justicia es el/los:

a) Poder Judicial.
b) Rey.
c) Pueblo soberano.
d) Jueces y Tribunales.

3. El artículo 117 de la Constitución no incluye como característica de los Jueces y Magistrados la:

a) Independencia.
b) Responsabilidad.
c) Inamovilidad.
d) Incluye a todas ellas.

4. Según la Constitución, el procedimiento en el ámbito de la administración de justicia debe ser:

a) Gratuito siempre.
b) Predominantemente oral.
c) En audiencia pública.
d) Motivado.

5. La cúspide de la jurisdicción en España la ostenta el:

a) Consejo General del Poder Judicial.
b) Ministerio Fiscal.
c) Tribunal Constitucional.
d) Tribunal Supremo.

6. Según el 124 CE, ¿cuál de las siguientes no es una función del Ministerio Fiscal?

a) Promover la acción de la justicia en defensa de la legalidad.
b) Defensa de los derechos de los ciudadanos.
c) Defensa del interés privado tutelado por la ley.
d) Procurar ante estos la satisfacción del interés social.

7. Señala la respuesta incorrecta respecto al Tribunal Constitucional:

a) Se organiza a través de las figuras del Presidente, el Pleno, las Salas y las Secciones.
b) El Presidente, será nombrado entre sus miembros por el Rey, a propuesta del mismo Tribunal en Pleno y por un período de tres años.
c) El Pleno lo preside el Presidente del Tribunal y, en su defecto, el Vicepresidente y, a falta de ambos, el Magistrado de mayor edad.
d) La distribución de asuntos entre las Salas del Tribunal se efectuará según un turno establecido por el Pleno a propuesta de su Presidente.

8. ¿De cuántos miembros se compone el Tribunal Constitucional?

a) De cinco.
b) De diez.
c) De doce.
d) De quince.

9. La propuesta de los miembros del Tribunal Constitucional realizada por el Congreso se realiza con la aprobación:

a) Por mayoría de tres quintos de sus miembros.
b) Por mayoría simple de sus miembros.
c) Por mayoría absoluta de sus miembros.
d) Por mayoría de cuatro quintos de sus miembros.

10. ¿Cuál de los siguientes profesionales no es citado directamente para ser miembro del Tribunal Constitucional, con base en el artículo 159.2?

a) Magistrados y Fiscales.
b) Abogados del Estado.
c) Profesores de Universidad.
d) Abogados.

11. La renovación de los miembros del Tribunal Constitucional se realiza de la siguiente manera:

a) Se renovarán por terceras partes cada tres años.
b) Se renovarán por mitades cada tres años.
c) Se renovarán completamente cada tres años.
d) Se renovarán por terceras partes cada seis años.

12. Los miembros del Tribunal Constitucional:

a) Serán independientes, pero no inamovibles en el ejercicio de su mandato.
b) Serán inamovibles, pero no independientes en el ejercicio de su mandato.
c) Serán independientes e inamovibles en el ejercicio de su mandato.
d) No serán ni independientes ni inamovibles en el ejercicio de su mandato.

13. En base al artículo 161.2 de la Constitución Española, podrá impugnar ante el Tribunal Constitucional las disposiciones y resoluciones adoptadas por los órganos de las Comunidades Autónomas:

a) El Parlamento.
b) Las Cortes Generales.
c) Cualquier gobierno autonómico.
d) El Gobierno.

14. Indica la respuesta correcta. Están legitimados para interponer el recurso de amparo:

a) El Abogado del Estado.
b) Toda persona natural, pero no jurídica.
c) El Defensor del Pueblo.
d) El Presidente de la Cámara Baja.

15. Según el artículo 164.1 de la Constitución Española, contra las sentencias del Tribunal Constitucional:

a) No cabe recurso alguno.
b) Cabe recurso ante el Tribunal Supremo.
c) Cabe recurso ante el mismo Tribunal Constitucional.
d) Cabe recurso ante el Consejo General del Poder Judicial.

En MADTEST tienes **más preguntas de este tema**, y todos tus avances quedan registrados y se reflejan en el ranking.

¡Supera tus límites con MADTEST!

Solución al test n.º 4

1. c) Rey.

2. c) Pueblo soberano.

3. d) Incluye a todas ellas.

4. b) Predominantemente oral.

5. d) Tribunal Supremo.

6. c) Defensa del interés privado tutelado por la ley.

7. c) El Pleno lo preside el Presidente del Tribunal y, en su defecto, el Vicepresidente y, a falta de ambos, el Magistrado de mayor edad.

8. c) De doce.

9. a) Por mayoría de tres quintos de sus miembros.

10. b) Abogados del Estado.

11. a) Se renovarán por terceras partes cada tres años.

12. c) Serán independientes e inamovibles en el ejercicio de su mandato.

13. d) El Gobierno.

14. c) El Defensor del Pueblo.

15. a) No cabe recurso alguno.

TEST N.º 5

La Constitución Española de 1978: Título VIII, De la organización territorial del Estado

1. Según la Constitución, las entidades que forman parte de la organización territorial del Estado tienen la nota común de:

a) Autogobierno.
b) Independencia.
c) Autonomía.
d) Financiación propia.

2. La titularidad de la soberanía española radica en el/las:

a) Cortes Generales como representantes del pueblo español.
b) Rey como Jefe del Estado.
c) Pueblo mismo.
d) Nacionalidades y regiones que integran España.

3. No pueden constituirse en Comunidades Autónomas los territorios:

a) Que no estén integrados en la organización provincial.
b) Que, no siendo superiores a una provincia, tengan entidad regional histórica.
c) Que, no siendo superiores a una provincia, no tengan entidad regional histórica.
d) Interinsulares.

4. La vía ordinaria de acceso a la autonomía por el artículo 143 de la Constitución se sigue por los/las:

a) Provincias con entidad regional histórica.
b) Territorios que en el pasado hubieren plebiscitado afirmativamente proyecto de Estatuto de Autonomía.
c) Provincia sin entidad regional histórica directamente.
d) Supuestos especiales de Ceuta, Melilla y Gibraltar.

5. Entre las determinaciones de los Estatutos de Autonomía no es necesario incluir la:

a) Delimitación de su territorio.
b) Denominación de las instituciones autónomas propias.
c) Denominación de la Comunidad.
d) Denominación, organización y sede de sus instituciones administrativas.

6. En las Comunidades Autónomas que siguen la vía común, el Proyecto de Estatuto será elaborado por la/los:

a) Asamblea de Parlamentarios que se constituye al efecto.
b) Comisión Constitucional del Congreso de los Diputados.
c) Diputación Provincial correspondiente.
d) Miembros de la Diputación u órgano interinsular y por los Diputados y Senadores elegidos por ellas.

7. El voto de ratificación por los Plenos del Senado y del Congreso de los Diputados se dará en el/las:

a) Comunidades Autónomas que siguen la vía común.
b) Comunidades Autónomas que siguen la vía especial.
c) Acceso a la autonomía de Ceuta y Melilla.
d) Acceso a la autonomía de Gibraltar.

8. La responsabilidad política del Presidente de una Comunidad Autónoma se exige por el/la:

a) Sala de lo Penal del Tribunal Supremo.
b) Congreso de los Diputados.
c) Tribunal Superior de Justicia de la Comunidad Autónoma.
d) Asamblea Legislativa de la Comunidad Autónoma.

9. La Asamblea Legislativa de las Comunidades Autónomas se elige:

a) Con criterios de representación territorial.
b) Con criterios de representación proporcional.
c) Por sufragio individual.
d) Con criterios de representación provincial.

10. El principio de coordinación con la Hacienda estatal se consigue por:

a) El Fondo de Compensación Interterritorial.
b) Los preceptos de las sucesivas Leyes de Presupuestos Generales del Estado.
c) La creación del Consejo de Política Fiscal y Financiera de las Comunidades Autónomas.
d) Imperativo de la propia Constitución.

11. Los Estatutos de Autonomía deberán contener el/la/las:

a) Competencias que se dejan al Estado y las que asume la Comunidad.
b) Competencias que, en función de la Constitución, asume cada Comunidad Autónoma.
c) Desarrollo de la Administración Autonómica.
d) División provincial y órganos de gobierno.

12. En la reforma de los Estatutos intervienen las Cortes Generales:

a) Siempre.
b) Nunca.
c) Sólo cuando se trata de Comunidades Autónomas que accedieron por la vía común.
d) En las Comunidades Autónomas de vía especial exclusivamente.

13. Los miembros de las Diputaciones u órganos interinsulares intervienen en la elaboración de los Estatutos de Autonomía:

a) En todo caso.
b) Nunca.
c) En las Comunidades Autónomas de vía común.
d) En las Comunidades Autónomas de vía especial.

14. Los Estatutos de Autonomía en la vía común se aprueban por el:

a) Congreso de los Diputados mediante Ley Orgánica.
b) Congreso de los Diputados y Senado por Ley Orgánica.
c) Congreso de los Diputados y Senado por Ley ordinaria.
d) Parlamento Autonómico solamente.

15. La más alta representación de una Comunidad Autónoma la ostenta el:

a) Presidente del Parlamento Autonómico.
b) Presidente de la Comunidad Autónoma.
c) Rey.
d) Presidente del Gobierno de la Nación.

En MADTEST tienes **más preguntas de este tema,** y todos tus avances quedan registrados y se reflejan en el ranking.

¡Supera tus límites con MADTEST!

Solución al test n.º 5

1. c) Autonomía.

2. c) Pueblo mismo.

3. d) Interinsulares.

4. a) Provincias con entidad regional histórica.

5. d) Denominación, organización y sede de sus instituciones administrativas.

6. d) Miembros de la Diputación u órgano interinsular y por los Diputados y Senadores elegidos por ellas.

7. b) Comunidades Autónomas que siguen la vía especial.

8. d) Asamblea Legislativa de la Comunidad Autónoma.

9. b) Con criterios de representación proporcional.

10. c) La creación del Consejo de Política Fiscal y Financiera de las Comunidades Autónomas.

11. b) Competencias que, en función de la Constitución, asume cada Comunidad Autónoma.

12. a) Siempre.

13. c) En las Comunidades Autónomas de vía común.

14. b) Congreso de los Diputados y Senado por Ley Orgánica.

15. b) Presidente de la Comunidad Autónoma.

II. Organización de la Comunitat Valenciana

TEST N.º 6

**El Estatuto de Autonomía de la Comunitat Valenciana:
Preámbulo; Título I, La Comunitat Valenciana;
Título II, De los derechos de los valencianos y valencianas;
Título III, La Generalitat; Título IV, Las Competencias**

1. Les Corts designarán los Senadores que le correspondan para representar la Comunitat Valenciana de conformidad:

a) Con la Ley Electoral General Estatal.
b) Con el Reglamento de Les Corts.
c) Con la Ley de Designación de Senadores en representación de la Comunidad Autónoma.
d) Con la Ley Electoral Valenciana.

2. La Ley Electoral Valenciana precisará, para su aprobación:

a) 2/3 partes de Les Corts.
b) Mayoría absoluta de Les Corts.
c) 3/5 partes de Les Corts.
d) 2/5 partes de Les Corts.

3. Las leyes de la Generalitat serán publicadas:

a) En el Boletín Oficial del Estado, en las dos lenguas oficiales.
b) En el Diario Oficial de la Generalitat.
c) En el Boletín Oficial del Estado, en los quince días siguientes a su aprobación.
d) En el Diario Oficial de la Generalitat con carácter inmediato.

4. ¿Cuál de las siguientes no es función de Les Corts?

a) Exigir la responsabilidad política de un Conseller.
b) Controlar la acción del Consell.
c) Controlar parlamentariamente a la Administración que esté bajo la autoridad de la Generalitat.
d) Interponer recursos de inconstitucionalidad.

5. ¿Cuál de las siguientes no es función de Les Corts?

a) Crear comisiones especiales de investigación.
b) Nombrar al President de la Generalitat.
c) Aprobar las emisiones de deuda pública.
d) Solicitar al Gobierno del Estado la adopción de proyectos de ley.

6. La iniciativa legislativa de Les Corts será ejercida por:

a) Los grupos parlamentarios, exclusivamente.
b) Únicamente por los diputados y diputadas.
c) El Consell, los diputados y diputadas de Les Corts, y los grupos parlamentarios de Les Corts.
d) El Consell exclusivamente.

7. El Reglamento de Les Corts:

a) Es una norma de rango inferior a ley.
b) Es una norma de rango equivalente al Estatuto de Autonomía.
c) Es una norma administrativa.
d) Tiene rango de ley.

8. El aforamiento de un Diputado o Diputada de Les Corts:

a) Supone la inviolabilidad del mismo.
b) Se extiende a responsabilidad penal y civil.
c) Supone la inmunidad del mismo.
d) Supone que su responsabilidad penal o civil será exigida siempre ante el Tribunal Superior de Justicia de la Comunitat Valenciana.

9. El President de la Generalitat podrá disolver Les Corts:

a) En la forma que determine el Estatuto de Autonomía.
b) En la forma que determine la Ley del Consell.
c) En la forma que determine la Ley Electoral Valenciana.
d) En la forma que determine el Reglamento de Les Corts.

10. Para que Les Corts celebren sesiones en lugar distinto a su sede oficial:

a) Se precisará conformidad del Consell.
b) Se precisa decisión en tal sentido del Consell y de los órganos de gobierno de Les Corts.
c) Se necesita decisión en tal sentido del Presidente del Consell.
d) Se precisa decisión en tal sentido de los órganos de gobierno de Les Corts.

11. Para determinados efectos, el mandato de los Diputados de Les Corts concluye:

a) El día en que se convocan las elecciones.
b) El día en que se celebran las elecciones.
c) El día de antes al de celebración de las elecciones.
d) El día siguiente al que se convocan las elecciones.

12. Las sesiones del Pleno de Les Corts:

a) Tienen que ser públicas salvo en los supuestos en que la ley permita lo contrario.
b) Tienen que ser públicas.
c) Tienen que ser públicas salvo en los supuestos en que el Reglamento de Les Corts permita lo contrario.
d) Tienen que ser públicas salvo en las materias en que el Estatuto de Autonomía permite lo contrario.

13. La denominación del Título III del Estatuto de Autonomía es:

a) La Generalitat
b) Los órganos de la Generalitat.
c) El Gobierno de la Generalitat.
d) Instituciones de la Comunidad Valenciana.

14. Según el Estatuto de Autonomía, ¿qué número de votos deberá haber obtenido el partido, federación, agrupación de electores o coalición que se hayan presentado a las elecciones para poder ser proclamados diputados electos de Les Corts?

a) El 5 % de los votos de la Comunidad.
b) El 3 % de los votos de su circunscripción electoral.
c) El número de votos que determine la Ley Electoral Valenciana.
d) El 5 % de los votos de su circunscripción electoral.

15. El Título III del Estatuto de Autonomía:

a) No tiene Capítulos.
b) Tiene 5 Capítulos.
c) Tiene 3 Capítulos.
d) Tiene 7 Capítulos.

En MADTEST tienes **más preguntas de este tema**, y todos tus avances quedan registrados y se reflejan en el ranking.

¡Supera tus límites con MADTEST!

Solución al test n.º 6

1. c) Con la Ley de Designación de Senadores en representación de la Comunidad Autónoma.

2. a) 2/3 partes de Les Corts.

3. b) En el Diario Oficial de la Generalitat.

4. a) Exigir la responsabilidad política de un Conseller.

5. b) Nombrar al President de la Generalitat.

6. c) El Consell, los diputados y diputadas de Les Corts, y los grupos parlamentarios de Les Corts.

7. d) Tiene rango de ley.

8. b) Se extiende a responsabilidad penal y civil.

9. b) En la forma que determine la Ley del Consell.

10. d) Se precisa decisión en tal sentido de los órganos de gobierno de Les Corts.

11. c) El día de antes al de celebración de las elecciones.

12. c) Tienen que ser públicas salvo en los supuestos en que el Reglamento de Les Corts permita lo contrario.

13. a) La Generalitat

14. c) El número de votos que determine la Ley Electoral Valenciana.

15. d) Tiene 7 Capítulos.

La Ley 5/1983, de 30 de diciembre, del Consell: Título I, Del President de la Generalitat; Título II, Del Consell: Capítulo I, Del Consell y su composición; Capítulo II, De las atribuciones del Consell; Capítulo III, Del funcionamiento del Consell; Capítulo VI, De la iniciativa legislativa, de los Decretos Legislativos y de la potestad reglamentaria del Consell; Título III, De las relaciones entre el Consell y Les Corts

1. La creación de las Secretarías Autonómicas se realizará por:

a) El President de la Generalitat.
b) El Consell.
c) El Consell a propuesta del President de la Generalitat.
d) El President de la Generalitat a propuesta del Consell.

2. En el funcionamiento del Consell, según la Ley del Consell, prima:

a) Su dirección administrativa.
b) Su dirección presidencial.
c) Su funcionamiento administrativo.
d) Sus decisiones colegiadas.

3. Que el President de la Generalitat tenga que ser miembro de Les Corts:

a) Lo establece así únicamente el Estatuto de Autonomía.
b) Lo establece así la CE (Constitución española) y el EA (Estatuto de Autonomía).
c) Lo establece así únicamente el EA y la Ley del Consell.
d) Lo establece únicamente la Ley del Consell.

4. ¿Cómo se realizará el debate del programa político de gobierno que proponga el candidato a la Presidencia de la Generalitat?

a) Conforme determina el Estatuto de Autonomía.
b) Conforme determina concretamente la Ley del Consell.
c) Conforme determina concretamente la modificación última de la Ley del Consell.
d) Conforme el Reglamento de Les Corts.

5. ¿Cuántas propuestas sucesivas puede realizar el Presidente de Les Corts a estas referente a la elección del President de la Generalitat?

a) No más de tres.
b) No más de dos.
c) No se dispone limitación ni en el EA ni en la Ley del Consell.
d) Las que disponga el Reglamento de Les Corts, tal como dispone la Ley del Consell.

6. La disolución de Les Corts por no haberse encontrado candidato a la Presidencia de la Generalitat será tomada:

a) Por acuerdo.
b) Por real decreto.
c) Por decreto ley.
d) Por decreto.

7. En el supuesto de disolución de Les Corts por no haberse encontrado candidato a la Presidencia de la Generalitat, la convocatoria de nuevas elecciones será hecha:

a) Por el President de la Generalitat en funciones.
b) Por el Consell en funciones.
c) Por el Presidente de Les Corts.
d) Por la Mesa de Les Corts.

8. ¿Cuál de las siguientes no es función del President de la Generalitat?

a) Fijar orden del día de las reuniones del Consell.
b) Firmar los decretos del Consell.
c) Levantar actas de las sesiones del Consell.
d) Coordinar la ejecución de los acuerdos del Consell.

9. Para que el President de la Generalitat pueda presentar ante Les Corts la cuestión de confianza, se precisará:

a) Deliberación del Consell.
b) Autorización del Consell.
c) Votación favorable del Consell por mayoría absoluta.
d) Acuerdo del Consell.

10. Los Consellers sin cartera:

a) Tendrán adscrita la Secretaría Autonómica de la Presidencia.
b) Podrán no tener adscritas Secretarías Autonómicas.
c) No tendrán adscritas Secretarías Autonómicas.
d) Tendrán sus correspondientes Secretarías Autonómicas.

11. ¿Cuál de las siguientes afirmaciones es cierta respecto a la elección por Les Corts del President de la Generalitat?

a) Rechazada la propuesta del primer candidato, el Presidente de Les Corts retomará la ronda de consultas.

b) El Presidente de Les Corts retomará la ronda de consultas si han transcurrido dos meses de la presentación del primer candidato.

c) Para que el Presidente de Les Corts retome la ronda de consultas será preciso que hayan sido rechazados sucesivamente dos candidatos que él haya presentado.

d) El Presidente de Les Corts no está obligado a retomar la ronda de consultas.

12. El Consell podrá retirar su proyecto de ley ante Les Corts:

a) Siempre que estas no hayan tomado acuerdo final sobre el mismo.

b) Siempre que estas no hayan comenzado la votación sobre el mismo.

c) Siempre que estas no hayan comenzado la deliberación sobre el mismo.

d) En cualquier momento anterior a la publicación oficial del mismo.

13. ¿Cuál de las siguientes afirmaciones es cierta respecto a lo dispuesto en la Ley del Consell?

a) El plazo mínimo dispuesto para la votación de la cuestión de confianza es el idéntico al plazo que debe transcurrir como mínimo entre la primera y segunda votación de investidura.

b) El plazo mínimo dispuesto para la votación de la cuestión de confianza es inferior al plazo que debe transcurrir entre la primera y segunda votación de investidura.

c) El plazo mínimo dispuesto para la votación de la cuestión de confianza es el superior al plazo que debe transcurrir como mínimo entre la primera y segunda votación de investidura.

d) Todas son falsas.

14. Los proyectos de ley sobre los que el Consell ha propuesto cuestión de confianza:

a) Tendrán que ser aprobados por mayoría cualificada.

b) Serán aprobados por mayoría simple salvo que para su aprobación se requiera mayoría cualificada.

c) Tendrán que ser aprobados por mayoría absoluta.

d) Tendrán que ser aprobados por la mayoría que determine Les Corts.

15. La emisión de deuda pública que realice el Consell estará supeditada:

a) A que sea destinada a gastos de inversión.

b) A que esté facultada por ley estatal.

c) A que lo sea dentro de las materias financieras que determina el Estatuto de Autonomía.

d) Que lo sea en ejecución de una ley estatal.

En MADTEST tienes **más preguntas de este tema**, y todos tus avances quedan registrados y se reflejan en el ranking.

¡Supera tus límites con MADTEST!

Solución al test n.º 7

1. a) El President de la Generalitat.

2. b) Su dirección presidencial.

3. b) Lo establece así la CE (Constitución española) y el EA (Estatuto de Autonomía).

4. d) Conforme el Reglamento de Les Corts.

5. c) No se dispone limitación ni en el EA ni en la Ley del Consell.

6. a) Por acuerdo.

7. a) Por el President de la Generalitat en funciones.

8. c) Levantar actas de las sesiones del Consell.

9. a) Deliberación del Consell.

10. b) Podrán no tener adscritas Secretarías Autonómicas.

11. d) El Presidente de Les Corts no está obligado a retomar la ronda de consultas.

12. a) Siempre que estas no hayan tomado acuerdo final sobre el mismo.

13. b) El plazo mínimo dispuesto para la votación de la cuestión de confianza es inferior al plazo que debe transcurrir entre la primera y segunda votación de investidura.

14. b) Serán aprobados por mayoría simple salvo que para su aprobación se requiera mayoría cualificada.

15. a) A que sea destinada a gastos de inversión.

TEST N.º 8

La Ley 5/1983, de 30 de diciembre, del Consell: Título II, Del Consell: Capítulo IV, De la Conselleria y de los Consellers; Capítulo V, Del Estatuto Personal de los Consellers; Título IV, De la Administración Pública de la Generalitat; Título V, De la responsabilidad de los miembros del Consell y de la Administración Pública de la Generalitat

1. El procedimiento de determinación de la estructura orgánica superior del Consell y la designación de sus titulares, mediante la Ley del Consell:

a) Se jerarquiza.
b) Se limita.
c) Se agiliza.
d) Se fiscaliza.

2. A los Consellers les corresponden:

a) El ejercicio de las facultades ordinarias de contratación administrativa dentro de los límites establecidos en las leyes presupuestarias.
b) El ejercicio de cualquier facultad en materia de contratación administrativa.
c) El ejercicio de la facultad en materia de contratación administrativa dentro de las competencias establecidas por el Consell.
d) El ejercicio de la facultad en materia de contratación administrativa siempre que le sea delegado por el Consell.

3. Las funciones competentes de los Consellers:

a) Les tendrán que ser atribuidas por ley.
b) Les podrán ser atribuidas reglamentariamente.
c) Les tendrán que ser atribuidas por ley o reglamentariamente.
d) Además de por ley o por reglamento, solo les podrán ser atribuidas por el President de la Generalitat.

4. El Reglamento orgánico de cada Conselleria:

a) Es aprobado por el Consell.
b) Es aprobado por el Conseller respectivo.

c) Es aprobado por el President de la Generalitat.

d) Puede ser aprobado por la Comisión Delegada del Gobierno que tenga competencias en la materia.

5. La Presidencia de la Generalitat orgánicamente se desarrolla:

a) Conforme especifica la Ley del Consell.

b) Conforme a su reglamento orgánico.

c) Conforme a las leyes de Les Corts que deben regularlo.

d) Conforme a sus propias disposiciones reglamentarias, siempre dentro de los límites fijados por la ley estatal.

6. ¿Ante quién no pueden responder de su gestión los Secretarios Autonómicos?

a) Ante el Conseller.

b) Ante el President de la Generalitat

c) Ante los Vicepresidentes del Consell.

d) Ante cualquiera de ellos.

7. La adaptación de las normas de la Administración del Estado a la organización de la Generalitat Valenciana se hará conforme a las normas dictadas por:

a) Les Corts.

b) Las Cortes Generales.

c) El Consell.

d) Los órganos administrativos de la Generalitat.

8. La adaptación anterior se realizará:

a) Por medio de leyes de Les Corts.

b) Por medio de decreto del President de la Generalitat.

c) Mediante reglamentación del Consell.

d) Mediante decreto del President de la Generalitat.

9. La ley del Consell:

a) Permite la delegación de competencias delegadas en cualquier caso.

b) Permite en determinados supuestos la delegación de competencias delegadas.

c) Se remite en cuanto a la delegación de competencias delegadas a lo establecido en la Legislación General del Estado.

d) No permite, en ningún caso, la delegación de competencias delegadas.

10. Las competencias propias del Consell:

a) No son delegables.

b) Son delegables en determinados casos en las Comisiones Delegadas del Gobierno.

c) Son delegables en cualquier caso y órganos.
d) Son delegables en cualquier caso en las Comisiones Delegadas del Gobierno.

11. Las Secretarías Autonómicas:

a) Son de existencia facultativa.
b) Son de existencia probable.
c) Son de existencia general.
d) Son de existencia obligada.

12. Requerirán autorización previa del Conseller:

a) La delegación realizada por los órganos de nivel superior.
b) La delegación realizada por los órganos de nivel administrativo.
c) Cualquier delegación realizada en el seno de una Conselleria.
d) La delegación realizada en los órganos de nivel directivo y administrativo.

13. Los servicios periféricos lo son:

a) De las Consellerias.
b) De la Presidencia del Consell.
c) Del Consell.
d) De la Presidencia de la Generalitat Valenciana.

14. Los servicios periféricos son expresión del principio de:

a) Economía.
b) Control.
c) Desconcentración.
d) Descentralización.

15. Los servicios periféricos tienen competencia territorial en:

a) Todo el territorio provincial que asumen.
b) En toda la Comunidad Autónoma.
c) En el mismo territorio que asumen los servicios centrales.
d) En su propio ámbito territorial.

En MADTEST tienes **más preguntas de este tema**, y todos tus avances quedan registrados y se reflejan en el ranking.

¡Supera tus límites con MADTEST!

Solución al test n.º 8

1. c) Se agiliza.

2. a) El ejercicio de las facultades ordinarias de contratación administrativa dentro de los límites establecidos en las leyes presupuestarias.

3. b) Les podrán ser atribuidas reglamentariamente.

4. a) Es aprobado por el Consell.

5. b) Conforme a su reglamento orgánico.

6. d) Ante cualquiera de ellos.

7. c) Del Consell.

8. c) Mediante reglamentación del Consell.

9. d) No permite, en ningún caso, la delegación de competencias delegadas.

10. d) Son delegables en cualquier caso en las Comisiones Delegadas del Gobierno.

11. a) Son de existencia facultativa.

12. b) La delegación realizada por los órganos de nivel administrativo.

13. a) De las Consellerias.

14. c) Desconcentración.

15. d) En su propio ámbito territorial.

III. Unión Europea

TEST N.º 9

El Tratado de la Unión Europea: Disposiciones comunes. El Tratado de Funcionamiento de la Unión Europea: actos jurídicos de la Unión, procedimientos de adopción y otras disposiciones

1. La Unión se fundamenta en los valores de:

a) Respeto de la dignidad humana, libertad, democracia, a los derechos inviolables, igualdad, Estado de Derecho y respeto de los derechos humanos, incluidos los derechos de las personas pertenecientes a minorías.

b) Respeto de la dignidad humana, justicia, libertad, democracia, igualdad, Estado de Derecho y respeto de los derechos fundamentales, incluidos los derechos de las personas pertenecientes a minorías.

c) Respeto de la dignidad humana, libertad, democracia, igualdad, Estado de Derecho y respeto de los derechos humanos, incluidos los derechos de las personas pertenecientes a minorías.

d) Respeto de la dignidad humana, libertad, democracia, igualdad, Estado de Derecho y a la pluralidad social.

2. La Unión tiene como finalidad:

a) Mejorar la calidad de vida de todos los ciudadanos de la Unión.

b) Promover la paz, la prosperidad y el bienestar de sus Estado.

c) Promover la paz y la justicia.

d) Promover la paz, sus valores y el bienestar de sus pueblos.

3. La Unión ofrecerá a sus ciudadanos un espacio de:

a) Libertad, seguridad, igualdad y justicia sin fronteras interiores, en el que esté garantizada la libre circulación de personas conjuntamente con medidas adecuadas en materia de control de las fronteras exteriores, asilo, inmigración y de prevención y lucha contra la delincuencia.

b) Libertad, seguridad y justicia sin fronteras interiores, en el que esté garantizada la libre circulación de personas conjuntamente con medidas adecuadas en materia de control de las fronteras exteriores, asilo, inmigración y de prevención y lucha contra la delincuencia.

c) Igualdad, seguridad y justicia sin fronteras interiores, en el que esté garantizada la libre circulación de personas conjuntamente con medidas adecuadas en materia de control de las fronteras exteriores, asilo, inmigración y de prevención y lucha contra la delincuencia.

d) Libertad, seguridad y justicia sin fronteras interiores, en el que esté garantizada la libre circulación de personas y mercancías, conjuntamente con medidas adecuadas en materia de control de las fronteras interiores y exteriores, asilo, inmigración y de prevención y lucha contra la delincuencia.

4. La Unión fomentará:

a) La cohesión económica, social y territorial y la solidaridad entre los Estados miembros.

b) La cohesión económica, social y territorial y la   coordinación entre los Estados miembros.

c) La cohesión económica, social, política y territorial y la solidaridad entre los Estados miembros.

d) La cohesión económica, fiscal, social y territorial y la solidaridad entre los Estados miembros.

5. La Unión afirmará y promoverá sus valores e intereses y contribuirá a la protección de sus ciudadanos, en sus relaciones con:

a) Todos los Estados.

b) El resto del mundo.

c) Con cada Estado.

d) Con la población.

6. De conformidad con lo dispuesto en el artículo 5, toda competencia no atribuida a la Unión en los Tratados:

a) Corresponde a la Comisión.

b) Corresponde a los Estados miembros.

c) Será compartida.

d) Será de coordinación.

7. La Unión y los Estados miembros se respetarán y asistirán mutuamente en el cumplimiento de las misiones derivadas de los Tratados, conforme al principio de

a) Coordinación.

b) Cooperación institucional.

c) Colaboración.

d) Cooperación leal.

8. La delimitación de las competencias de la Unión se rige por el principio de:

a) Coordinación.

b) Subsidiariedad.

c) Atribución.
d) Otorgamiento.

9. El ejercicio de las competencias de la Unión se rige por los principios de:

a) Atribución y proporcionalidad.
b) Atribución subsidiariedad.
c) Subsidiariedad y proporcionalidad.
d) Atribución, subsidiariedad, y proporcionalidad.

10. Se podrá constatar la existencia de un riesgo claro de violación grave por parte de un Estado miembro de los valores contemplados en el artículo 2 del TUE:

a) A propuesta motivada de un tercio de los Estados miembros, del Parlamento Europeo o de la Comisión, el Consejo, por mayoría de cuatro quintos de sus miembros y previa aprobación del Parlamento Europeo.

b) A propuesta motivada de un cuarto de los Estados miembros, del Parlamento Europeo o de la Comisión, el Consejo, por mayoría de cuatro quintos de sus miembros y previa aprobación del Parlamento Europeo.

c) A propuesta motivada de un tercio de los Estados miembros, del Parlamento Europeo o de la Comisión, el Consejo, por mayoría de tres quintos de sus miembros y previa aprobación del Parlamento Europeo.

d) A propuesta motivada de un tercio de los Estados miembros, del Presidente del Parlamento Europeo o del Presidente Comisión, el Consejo, por mayoría de cuatro quintos de sus miembros y previa aprobación del Consejo Europeo.

11. Podrá constatar la existencia de una violación grave y persistente por parte de un Estado miembro de los valores contemplados en el artículo 2 TUE tras invitar al Estado miembro de que se trate a que presente sus observaciones:

a) Un cuarto de los Estados miembros, del Parlamento Europeo o de la Comisión, el Consejo, por mayoría de cuatro quintos de sus miembros y previa aprobación del Parlamento Europeo.

b) El Consejo de la Unión Europea, por unanimidad y a propuesta de un tercio de los Estados miembros o de la Comisión y previa aprobación del Parlamento Europeo.

c) El Consejo Europeo, por unanimidad y a propuesta de un tercio de los Estados miembros o de la Comisión y previa aprobación del Parlamento Europeo.

d) El Parlamento, por unanimidad y a propuesta de un tercio de los Estados miembros o de la Comisión y previa aprobación del Consejo.

12. La Unión desarrollará con los países vecinos, con el objetivo de establecer un espacio de prosperidad y de buena vecindad basado en los valores de la Unión y caracterizado por unas relaciones estrechas y pacíficas fundadas en la cooperación, relaciones:

a) Preferentes.
b) Básicas.

c) De coordinación.
d) De buena gestión.

13. Tendrá un alcance general, será obligatorio en todos sus elementos y directamente aplicable en cada Estado miembro:

a) Reglamento.
b) Directiva.
c) Decisiones.
d) Todas son verdaderas.

14. Son normas de resultado, dejando, sin embargo, a las autoridades nacionales la elección de la forma y de los medios.

a) Reglamento.
b) Directiva.
c) Decisiones.
d) Todas son verdaderas.

15. Señala la respuesta correcta:

a) La Decisión será obligatoria en todos sus elementos para todos sus destinatarios.
b) La Decisión tiene carácter limitado, puesto que aunque es obligatoria, no suele tener carácter general sino que va dirigida a destinatarios concretos.
c) La Decisión tiene destinatarios determinados, con la particularidad de que estos no son necesariamente Estados, sino que también pueden serlo los particulares.
d) Todas son verdaderas.

En MADTEST tienes **más preguntas de este tema**, y todos tus avances quedan registrados y se reflejan en el ranking.

¡Supera tus límites con MADTEST!

Solución al test n.º 9

1. c) Respeto de la dignidad humana, libertad, democracia, igualdad, Estado de Derecho y respeto de los derechos humanos, incluidos los derechos de las personas pertenecientes a minorías.

2. d) Promover la paz, sus valores y el bienestar de sus pueblos.

3. b) Libertad, seguridad y justicia sin fronteras interiores, en el que esté garantizada la libre circulación de personas conjuntamente con medidas adecuadas en materia de control de las fronteras exteriores, asilo, inmigración y de prevención y lucha contra la delincuencia.

4. a) La cohesión económica, social y territorial y la solidaridad entre los Estados miembros.

5. b) El resto del mundo.

6. b) Corresponde a los Estados miembros.

7. d) Cooperación leal.

8. c) Atribución.

9. c) Subsidiariedad y proporcionalidad.

10. a) A propuesta motivada de un tercio de los Estados miembros, del Parlamento Europeo o de la Comisión, el Consejo, por mayoría de cuatro quintos de sus miembros y previa aprobación del Parlamento Europeo.

11. c) El Consejo Europeo, por unanimidad y a propuesta de un tercio de los Estados miembros o de la Comisión y previa aprobación del Parlamento Europeo.

12. a) Preferentes.

13. a) Reglamento.

14. b) Directiva.

15. d) Todas son verdaderas.

IV. Materias Transversales

TEST N.º 10

La Ley orgánica 3/2007, de 22 de marzo, para la igualdad efectiva de mujeres y hombres: Título preliminar, Objeto de la Ley; Título I, El principio de igualdad y la tutela contra la discriminación; Título II, Políticas públicas para la igualdad. La Ley 9/2003, de 2 de abril, de la Generalitat, para la igualdad de mujeres y hombres: Título I, Objeto, principios generales y ámbito de la Ley; Título III, Igualdad y Administración Pública. Ley 4/2023, de 28 de febrero, para la igualdad real y efectiva de las personas trans y para la garantía de los derechos de las personas LGTBI: Deber de protección; Medidas en el ámbito administrativo

1. ¿Qué artículo de la Constitución Española establece que los españoles son iguales ante la ley sin discriminación alguna por razón de sexo?

a) Artículo 15.
b) Artículo 9.1.
c) Artículo 14.
d) Artículo 10.

2. ¿Cuál de los siguientes tratados internacionales NO se menciona como fundamento de la LO 3/2007?

a) Tratado de Ámsterdam.
b) Convención sobre la eliminación de todas las formas de discriminación contra la mujer.
c) Carta de Derechos Fundamentales de la Unión Europea.
d) Directiva 2004/113/CE.

3. ¿Cuál es uno de los principales objetivos de la LO 3/2007?

a) Reformar la estructura de la Administración Pública.
b) Promover la natalidad.

c) Hacer efectivo el derecho de igualdad entre mujeres y hombres.
d) Crear un órgano judicial para la igualdad.

4. ¿Cuántas disposiciones finales contiene la LO 3/2007?

a) Cuatro.
b) Ocho.
c) Diez.
d) Doce.

5. ¿A quién se aplica la LO 3/2007?

a) Solo a ciudadanos españoles residentes en España.
b) Exclusivamente a mujeres en situación de discriminación.
c) A toda persona que actúe en territorio español, sea cual sea su nacionalidad o residencia.
d) Únicamente a las entidades públicas.

6. ¿Qué capítulo de la LO 3/2007 regula la igualdad en el empleo público?

a) Capítulo I del Título VI.
b) Capítulo III del Título II.
c) Capítulo I del Título V.
d) Capítulo IV del Título III.

7. ¿Cuál de las siguientes situaciones se considera discriminación directa?

a) Aplicar criterios de selección basados en formación.
b) Tratar menos favorablemente a una persona por su embarazo.
c) Establecer criterios neutros en una oferta laboral.
d) Crear campañas institucionales de igualdad.

8. ¿Qué ocurre con los actos jurídicos que impliquen discriminación por razón de sexo según el art. 10 de la LO 3/2007?

a) Serán revisables por la Administración.
b) Se considerarán válidos si se justifican.
c) Serán nulos y darán lugar a responsabilidad.
d) Solo tendrán efecto si son voluntarios.

9. En procedimientos judiciales por discriminación, ¿quién debe probar la ausencia de discriminación?

a) El juez instructor.
b) La parte demandante.

c) El Ministerio Fiscal.
d) La parte demandada.

10. ¿Cuál es el objetivo de las medidas transformadoras dentro de las acciones positivas?

a) Facilitar el acceso al empleo público.
b) Incrementar la natalidad.
c) Cambiar estructuras sociales discriminatorias.
d) Reforzar el principio de mérito.

11. ¿Qué establece el artículo 14 de la LO 3/2007 como uno de los criterios generales de actuación?

a) Reducir el número de mujeres en el mercado laboral.
b) El compromiso con la efectividad del derecho de igualdad.
c) Promover únicamente medidas pasivas.
d) Disminuir la representación política de las mujeres.

12. ¿Qué principio informa con carácter transversal toda la actuación de los Poderes Públicos?

a) Equidad fiscal.
b) Igualdad de trato entre mujeres y hombres.
c) Justicia retributiva.
d) Mérito y capacidad.

13. ¿Qué documento incorpora la Recomendación de la Comisión Europea sobre el acoso sexual en el trabajo?

a) El reglamento de protocolo de seguridad.
b) El régimen de la Función Pública Valenciana.
c) El reglamento de contratación administrativa.
d) El Código Penal autonómico.

14. ¿Qué responsabilidad asume el Consell en relación con los datos estadísticos según la Ley 9/2003?

a) Eliminar variables de sexo en estudios sociales.
b) Publicar resultados exclusivamente en boletines internos.
c) Impulsar la desagregación por sexos y análisis con perspectiva de género.
d) Transmitir datos a los organismos europeos sin análisis previo.

15. ¿Qué ámbito NO está incluido explícitamente entre los contemplados por las políticas públicas de igualdad en la LO 3/2007?

a) Educación.
b) Cultura.
c) Urbanismo.
d) Defensa nacional.

En MADTEST tienes **más preguntas de este tema**, y todos tus avances quedan registrados y se reflejan en el ranking.

¡Supera tus límites con MADTEST!

Solución al test n.º 10

1. c) Artículo 14.

2. c) Carta de Derechos Fundamentales de la Unión Europea.

3. c) Hacer efectivo el derecho de igualdad entre mujeres y hombres.

4. b) Ocho.

5. c) A toda persona que actúe en territorio español, sea cual sea su nacionalidad o residencia.

6. c) Capítulo I del Título V.

7. b) Tratar menos favorablemente a una persona por su embarazo.

8. c) Serán nulos y darán lugar a responsabilidad.

9. d) La parte demandada.

10. c) Cambiar estructuras sociales discriminatorias.

11. b) El compromiso con la efectividad del derecho de igualdad.

12. b) Igualdad de trato entre mujeres y hombres.

13. b) El régimen de la Función Pública Valenciana.

14. c) Impulsar la desagregación por sexos y análisis con perspectiva de género.

15. d) Defensa nacional.

TEST N.º 11

La Ley orgánica 1/2004, de 28 de diciembre, de medidas de protección integral contra la violencia de género: Título preliminar; Título I, medidas de sensibilización, prevención y detección; Título II, Derechos de las mujeres víctimas de violencia de género

1. ¿Qué tipo de violencia comprende la Ley Orgánica 1/2004 según su definición legal?

a) Solo la violencia física contra la mujer.
b) Violencia física, psicológica y sexual contra la mujer, incluyendo amenazas y coacciones.
c) Solo la violencia entre cónyuges con convivencia.
d) Cualquier conflicto doméstico entre familiares.

2. ¿Qué contenido incorpora la Educación Secundaria según la Ley Orgánica 1/2004?

a) Solo prevención de conflictos familiares.
b) Contenidos sobre igualdad entre hombres y mujeres y contra la violencia de género.
c) Clases específicas sobre derecho penal.
d) Campañas publicitarias de sensibilización.

3. ¿Cuál es uno de los órganos administrativos creados por la Ley para garantizar la tutela institucional?

a) El Ministerio del Interior.
b) El Observatorio Estatal de Violencia sobre la Mujer.
c) El Consejo General del Poder Judicial.
d) El Consejo Escolar del Estado.

4. ¿Qué función tienen los Juzgados de Violencia sobre la Mujer?

a) Solo tramitar divorcios.
b) Fallar sentencias laborales en casos de discriminación.
c) Instruir y fallar causas penales y civiles relacionadas con la violencia de género.
d) Coordinar campañas de sensibilización en el ámbito sanitario.

5. ¿Qué modificación legal permite al juez mantener medidas de protección tras el juicio?

a) El artículo 19 de la Ley de Enjuiciamiento Criminal.
b) La Ley Orgánica 15/2003, que modifica el artículo 105 del Código Penal.
c) La Ley de Igualdad de 2007.
d) La reforma del Código Civil en 1996.

6. ¿Cuál de los siguientes no es uno de los fines perseguidos por la Ley Orgánica 1/2004?

a) Garantizar el principio de transversalidad.
b) Establecer penas de prisión obligatorias en todos los casos.
c) Fortalecer las medidas de prevención.
d) Promover la especialización de los profesionales.

7. ¿Cuál es uno de los componentes obligatorios del Plan Nacional de Sensibilización y Prevención?

a) Fomento del deporte en igualdad.
b) Programa de formación complementaria y reciclaje profesional.
c) Reducción de horarios escolares.
d) Subsidios para víctimas.

8. ¿Qué medida deben tomar las Administraciones educativas respecto al profesorado?

a) Reducir su jornada en caso de agresión.
b) Incluir formación específica en igualdad en sus planes formativos.
c) Obligarles a declarar en procesos penales.
d) Sustituir los materiales educativos por libros digitales.

9. ¿Qué entidades pueden ejercitar la acción de cesación de publicidad ilícita con imagen vejatoria de la mujer?

a) Solo el Instituto Nacional de Estadística.
b) El Ministerio de Cultura.
c) El Ministerio Fiscal y entidades con fines en defensa de la mujer.
d) Los Colegios de Médicos.

10. ¿Cuál es la función de la Comisión contra la Violencia de Género del Consejo Interterritorial del SNS?

a) Evaluar la inserción laboral.
b) Aplicar sanciones a agresores.
c) Evaluar y orientar la planificación sanitaria.
d) Emitir informes judiciales.

11. ¿Cuál es uno de los servicios esenciales garantizados por la Ley para víctimas de violencia de género?

a) Servicio postal gratuito.
b) Información y orientación psicosocial.
c) Transporte subvencionado.
d) Acceso a estudios universitarios.

12. ¿Qué derecho tienen los menores que conviven en contextos de violencia de género?

a) Ninguno.
b) Acceder a formación militar.
c) Derecho a asistencia social integral con atención psicológica infantil.
d) Presentar denuncia judicial directa.

13. ¿Qué especialización deben tener los servicios sanitarios para atender a víctimas de violencia de género?

a) Medicina legal.
b) Terapias alternativas.
c) Atención psicológica y psiquiátrica, incluyendo menores.
d) Cirugía general.

14. ¿Qué derecho procesal tiene la víctima en el momento inmediatamente previo a la denuncia?

a) Solicitar protección policial.
b) Asistencia letrada gratuita.
c) Acceso a ayudas económicas.
d) Revisión forense.

15. ¿Qué consideración tiene el despido por ejercer derechos laborales derivados de violencia de género?

a) Legal si es con indemnización.
b) Improcedente.
c) Nulo.
d) A convenir con la empresa.

Solución al test n.º 11

1. b) Violencia física, psicológica y sexual contra la mujer, incluyendo amenazas y coacciones.

2. b) Contenidos sobre igualdad entre hombres y mujeres y contra la violencia de género.

3. b) El Observatorio Estatal de Violencia sobre la Mujer.

4. c) Instruir y fallar causas penales y civiles relacionadas con la violencia de género.

5. b) La Ley Orgánica 15/2003, que modifica el artículo 105 del Código Penal.

6. b) Establecer penas de prisión obligatorias en todos los casos.

7. b) Programa de formación complementaria y reciclaje profesional.

8. b) Incluir formación específica en igualdad en sus planes formativos.

9. c) El Ministerio Fiscal y entidades con fines en defensa de la mujer.

10. c) Evaluar y orientar la planificación sanitaria.

11. b) Información y orientación psicosocial.

12. c) Derecho a asistencia social integral con atención psicológica infantil.

13. c) Atención psicológica y psiquiátrica, incluyendo menores.

14. b) Asistencia letrada gratuita.

15. c) Nulo.

TEST N.º 12

Ley 19/2013, de 9 de diciembre, de Transparencia, acceso a la información pública y buen gobierno: Título Preliminar; Título I, Transparencia de la actividad pública. La Ley 1/2022, de 13 de abril, de la Generalitat, de Transparencia y Buen Gobierno de la Comunitat Valenciana

1. La cualidad que permite y facilita el acceso de los ciudadanos a la información pública en poder de la Administración dentro de los límites establecidos por la legislación vigente, se conoce como:

a) Accesibilidad.
b) Transparencia.
c) Objetividad.
d) Buen gobierno.

2. En el Capítulo I del Título I: "Transparencia de la actividad pública" de la Ley 19/2013, concretamente en el art. 3, se señala que serán objeto de aplicación de las disposiciones las entidades privadas:

a) En cuyo capital social la participación, directa o indirecta, sea superior al 50 por 100.
b) Que perciban durante el período de un año ayudas o subvenciones públicas en una cuantía superior a 100.000 euros o cuando al menos el 40% del total de sus ingresos anuales tengan carácter de ayuda o subvención pública, siempre que alcancen como mínimo la cantidad de 5.000 euros.
c) Con personalidad jurídica propia, vinculadas a cualquiera de las Administraciones Públicas o dependientes de ellas.
d) Que tengan atribuidas funciones de regulación o supervisión de carácter externo sobre un determinado sector o actividad.

3. En el ámbito de la Administración General del Estado, ¿a quién corresponde la evaluación del cumplimiento de los planes y programas anuales y plurianuales que las administraciones públicas deben publicar?

a) Ministerio para la Transformación Digital y de la Función Pública.
b) Tribunal de Cuentas.

c) Instituto Nacional para las Administraciones Públicas (INAP).
d) Inspecciones Generales de Servicios.

4. El Portal de la Transparencia contendrá información publicada de acuerdo con las prescripciones técnicas que se establezcan reglamentariamente que deberán adecuarse a los siguientes principios. Señala la respuesta incorrecta:

a) Accesibilidad.
b) Interoperabilidad.
c) Control.
d) Reutilización.

5. ¿Qué título de la Ley 19/2013 regula todo lo relativo a la "Transparencia de la actividad pública"?

a) Título I.
b) Título II.
c) Título III.
d) Título IV.

6. El cumplimiento de las obligaciones derivadas de la Ley 19/2013, de 9 de diciembre, de transparencia, acceso a la información pública y buen gobierno, podrá realizarse utilizando los medios electrónicos puestos a su disposición por la Administración Pública de la que provenga la mayor parte de las ayudas o subvenciones públicas percibidas cuando se trate de entidades sin ánimo de lucro que persigan exclusivamente fines de interés social o cultural y cuyo presupuesto sea inferior a:

a) 50.000 euros.
b) 100.000 euros.
c) 200.000 euros.
d) 250.000 euros.

7. Según lo previsto en el artículo 18 de la Ley 19/2013, de 9 de diciembre, de transparencia, acceso a la información pública y buen gobierno, se inadmitirán a trámite, mediante resolución motivada, las solicitudes de acceso a la información:

a) Relativas a los intereses económicos y turísticos.
b) Relativas a la garantía de la confidencialidad o el secreto requerido en procesos de toma de decisión.
c) Relativas a información para cuya divulgación sea necesaria una acción previa de reelaboración.
d) Relativas a infraestructuras críticas.

8. El acceso a la información pública requiere:

a) Solicitud previa.
b) Acreditación de la condición de interesado.

c) Motivación expresa.
d) La utilización de medios telemáticos.

9. Cuando la información pública solicitada no contuviera datos especialmente protegidos, el órgano al que se dirija la solicitud concederá el acceso previa .... suficientemente razonada del interés público en la divulgación de la información y los derechos de los afectados cuyos datos aparezcan en la información solicitada, en particular su derecho fundamental a la protección de datos de carácter personal. Señala la palabra que falta:

a) Catalogación.
b) Acreditación.
c) Ponderación.
d) Identificación.

10. Según el artículo 7 de la Ley 19/2013, de 9 de diciembre, de transparencia, acceso a la información pública y buen gobierno, relativo a la información de relevancia jurídica:

a) Las Administraciones Públicas, en el ámbito de sus competencias, publicarán los proyectos de Reglamento cuya iniciativa les corresponda.
b) Las Administraciones Públicas, en el ámbito de sus competencias, no publicarán los proyectos de Reglamento cuya iniciativa les corresponda.
c) Las Administraciones Públicas, en el ámbito de sus competencias, no podrán publicar los Anteproyectos de Ley hasta su aprobación.
d) Las Administraciones Públicas no podrán publicar los proyectos de Decretos Legislativos cuando se soliciten los dictámenes a los órganos consultivos.

11. La Ley 19/2013 destaca tres ejes fundamentales de toda acción política. Señala cuál de los siguientes no es correcto:

a) La transparencia.
b) El acceso a la información pública.
c) Las normas de buen gobierno.
d) Las incompatibilidades.

12. El título I de la Ley 19/2013 regula e incrementa la transparencia de la actividad de todos los sujetos que prestan servicios públicos o ejercen potestades administrativas mediante un conjunto de previsiones que se recogen en dos capítulos diferenciados y desde una doble perspectiva: el derecho de acceso a la información pública y:

a) Los conflictos de intereses.
b) La publicidad activa.
c) La austeridad.
d) Los principios de actuación.

13. Según la Ley 19/2013, de 9 de diciembre, de Transparencia, Acceso a la Información Pública y Buen Gobierno, el derecho de acceso podrá ser limitado cuando acceder a la información suponga un perjuicio para:

a) La seguridad pública.
b) La igualdad de las partes en los procesos judiciales y la tutela judicial efectiva.
c) La política económica y monetaria.
d) Todo lo anterior.

14. La motivación de una solicitud de acceso a la información, según la Ley 19/2013:

a) Es requisito ineludible para que se facilite la información.
b) Será causa de rechazo de la solicitud.
c) Las dos respuestas anteriores son ciertas.
d) Se deja a la decisión del solicitante.

15. La transparencia de la actividad pública, respecto a la casa de su Majestad el Rey:

a) No se aplica.
b) Se aplica en todas sus actividades.
c) Se aplica en sus actividades sujetas al Derecho Administrativo.
d) Se aplica solo en sus actividades de índole política.

En MADTEST tienes **más preguntas de este tema**, y todos tus avances quedan registrados y se reflejan en el ranking.

¡Supera tus límites con MADTEST!

Solución al test n.º 12

1. b) Transparencia.

2. b) Que perciban durante el período de un año ayudas o subvenciones públicas en una cuantía superior a 100.000 euros o cuando al menos el 40 % del total de sus ingresos anuales tengan carácter de ayuda o subvención pública, siempre que alcancen como mínimo la cantidad de 5.000 euros.

3. d) Inspecciones Generales de Servicios.

4. c) Control.

5. a) Título I.

6. a) 50.000 euros.

7. c) Relativas a información para cuya divulgación sea necesaria una acción previa de reelaboración.

8. a) Solicitud previa.

9. c) Ponderación.

10. a) Las Administraciones Públicas, en el ámbito de sus competencias, publicarán los proyectos de Reglamento cuya iniciativa les corresponda.

11. d) Las incompatibilidades.

12. b) La publicidad activa.

13. d) Todo lo anterior.

14. d) Se deja a la decisión del solicitante.

15. c) Se aplica en sus actividades sujetas al Derecho Administrativo.

PARTE ESPECIAL

I. Derecho Administrativo y Gestión Pública

TEST N.º 1

La Ley 39/2015, de 1 de octubre, del Procedimiento Administrativo Común de las Administraciones Públicas: Título Preliminar, Disposiciones generales; Título I, De los interesados en el procedimiento; Título II, De la actividad de las Administraciones Públicas

1. ¿A qué capacidad se refiere el art. 3 de la Ley 39/2015, de 1 de diciembre, en relación con las personas físicas?

a) A la capacidad jurídica.
b) A la capacidad para ser titular de derechos subjetivos.
c) A la capacidad para ser titular de deberes jurídicos.
d) A la capacidad de obrar.

2. Los menores de edad, ¿tienen capacidad de obrar ante las Administraciones Públicas?

a) Sí, en todo caso, para el ejercicio y defensa de aquellos de sus derechos e intereses cuya actuación esté permitida por el ordenamiento jurídico sin la asistencia de la persona que ejerza la patria potestad, tutela o curatela.
b) No, en ningún caso; únicamente tendrán capacidad de obrar ante las Administraciones Públicas, las personas físicas mayores de edad no incapacitadas.
c) Sí, para el ejercicio y defensa de aquellos de sus derechos e intereses cuya actuación esté permitida por el ordenamiento jurídico sin la asistencia de la persona que ejerza la patria potestad, tutela o curatela, aunque sean menores incapacitados, siempre que la extensión de la incapacitación no afecte al ejercicio y defensa de los derechos o intereses de que se trate.
d) Sí, excepto los menores incapacitados.

3. Excepto el supuesto previsto por el artículo 3.b) de la Ley 39/2015, de 1 de octubre, los menores de edad no tienen capacidad de obrar ante las Administraciones Públicas, y necesitan de la asistencia de la persona que ejerza la patria potestad, tutela o curatela. En relación con la patria potestad, señala cuál de los siguientes enunciados es incorrecto:

a) La patria potestad, como responsabilidad parental, se ejercerá siempre en interés de los hijos, de acuerdo con su personalidad, y con respeto a sus derechos, su integridad física y mental.
b) El ejercicio de la patria potestad comprende representar a sus hijos y administrar sus bienes.

c) Los hijos emancipados están bajo la patria potestad de los progenitores.

d) Si los hijos tuvieren suficiente madurez deberán ser oídos siempre antes de adoptar decisiones que les afecten.

4. ¿Quiénes de los siguientes están sujetos a tutela?

a) Los menores emancipados que estén bajo la patria potestad.

b) Los menores no emancipados que no estén bajo la patria potestad.

c) Los menores emancipados que no estén bajo la patria potestad.

d) Los hijos no emancipados.

5. ¿Cuál de las siguientes características se vincula con la institución de la curatela del menor a que hace referencia el art. 3.b) de la Ley 39/2015, de 1 de octubre?

a) El curador no cuida de la persona sujeta a curatela, sino de su patrimonio.

b) La función del curador es la de complementar la capacidad del menor en todos aquellos actos o negocios jurídicos que no puede realizar por sí mismo.

c) El curador tiene cura de la persona sujeta a curatela, pero no de su patrimonio.

d) El curador tiene cura de la persona sujeta a curatela y de su patrimonio.

6. Los patrimonios independientes o autónomos, ¿tienen capacidad de obrar ante las Administraciones Públicas?

a) Sí.

b) No.

c) Siempre que la ley así lo declare expresamente.

d) Los patrimonios independientes o autónomos tienen reconocida capacidad jurídica ante las Administraciones Públicas en aplicación del artículo 3 de la Ley 39/2015, de 1 de octubre.

7. Tendrán capacidad de obrar ante las Administraciones Públicas las personas jurídicas que ostenten capacidad de obrar con arreglo a las normas civiles. ¿En qué momento adquirirán esta capacidad?

a) Desde el instante mismo en que, con arreglo a derecho, hubiesen quedado válidamente constituidas.

b) Las personas jurídicas adquirirán su capacidad de obrar en los mismos términos que las personas físicas.

c) En el momento en que finalice su personalidad.

d) Las personas jurídicas no tienen capacidad de obrar ante las Administraciones Públicas sino capacidad jurídica.

8. En aplicación del art. 3 de la Ley 39/2015, de 1 de octubre, NO tendrán capacidad de obrar ante las Administraciones Públicas:

a) Las personas físicas incapacitadas.

b) Las personas jurídicas que ostenten capacidad de obrar con arreglo a las normas civiles.

c) Los menores de edad para el ejercicio y defensa de aquellos de sus derechos e intereses cuya actuación esté permitida por el ordenamiento jurídico sin la asistencia de la persona que ejerza la patria potestad, tutela o curatela.

d) Las asociaciones de interés público reconocidas por la ley.

9. ¿Una persona declarada pródiga tiene capacidad de obrar plena ante las Administraciones Públicas?

a) Sí; las personas físicas tienen capacidad de obrar ante las Administraciones Públicas.

b) No; puede estar sujeta a tutela.

c) No; puede estar sujeta a curatela.

d) No; está sujeta a la patria potestad de sus progenitores.

10. La Ley 40/2015, de 1 de octubre, de régimen jurídico del sector público, ¿establece alguna regulación sobre la capacidad de obrar de los interesados ante las Administraciones Públicas?

a) Sí, en su artículo 3.

b) Sí, en tanto la Ley 40/2015, de 1 de octubre, tiene por objeto regular el procedimiento administrativo común a todas las Administraciones Públicas.

c) No, en tanto la Ley 40/2015, de 1 de octubre, únicamente tiene por objeto regular los principios a los que se ha de ajustar el ejercicio de la iniciativa legislativa y la potestad reglamentaria.

d) No.

11. Una persona que quiera participar en un proceso selectivo para cubrir plazas en una Administración Pública, ¿se considera interesada en el procedimiento administrativo?

a) Sí, en aplicación del artículo 4.1.a) de la Ley 39/2015, de 1 de octubre.

b) Sí, en aplicación del artículo 4.1.b) de la Ley 39/2015, de 1 de octubre.

c) Sí, en aplicación del artículo 4.1.c) de la Ley 39/2015, de 1 de octubre.

d) No, en tanto el procedimiento lo ha promovido la Administración y no la persona interesada.

12. En un procedimiento de expropiación forzosa, una persona reclama para sí la titularidad de una parcela que no está a su nombre; ¿tendrá la consideración de persona interesada en el procedimiento administrativo?

a) Sí, en aplicación del artículo 4.1.a) de la Ley 39/2015, de 1 de octubre.

b) Sí, en aplicación del artículo 4.1.b) de la Ley 39/2015, de 1 de octubre.

c) Sí, en aplicación del artículo 4.1.c) de la Ley 39/2015, de 1 de octubre.

d) No, en tanto el procedimiento lo ha promovido la Administración y no la persona interesada.

13. En un procedimiento de expropiación forzosa, el titular de un bien inmueble objeto de expropiación, ¿tendrá la consideración de interesado en el procedimiento administrativo?

a) Sí, en aplicación del artículo 4.1.a) de la Ley 39/2015, de 1 de octubre.
b) Sí, en aplicación del artículo 4.1.b) de la Ley 39/2015, de 1 de octubre.
c) Sí, en aplicación del artículo 4.1.c) de la Ley 39/2015, de 1 de octubre.
d) Sí, en aplicación del artículo 4.2 de la Ley 39/2015, de 1 de octubre.

14. ¿Qué interés se reconocería a los Colegios Profesionales para intervenir en el procedimiento de homologación de títulos obtenidos en el extranjero?

a) Interés legítimo individual de cada uno de los profesionales que integran los Colegios Profesionales.
b) Derechos subjetivos de los poseedores de los títulos que van a ser objeto de homologación.
c) Intereses legítimos colectivos.
d) Intereses sociales.

15. La titular de un establecimiento de restauración en Benidorm, quiere solicitar al Ayuntamiento una autorización para proceder a la ocupación de un espacio de uso público con mesas, sillas y sombrillas para su negocio. ¿Tendrá la consideración de interesada en el procedimiento administrativo de autorización?

a) Sí, en aplicación del artículo 4.1.a) de la Ley 39/2015, de 1 de octubre.
b) Sí, en aplicación del artículo 4.1.b) de la Ley 39/2015, de 1 de octubre.
c) Sí, en aplicación del artículo 4.1.c) de la Ley 39/2015, de 1 de octubre.
d) Sí, en aplicación del artículo 4.2 de la Ley 39/2015, de 1 de octubre.

En MADTEST tienes **más preguntas de este tema**, y todos tus avances quedan registrados y se reflejan en el ranking.

¡Supera tus límites con MADTEST!

Solución al test n.º 1

1. d) A la capacidad de obrar.

2. c) Sí, para el ejercicio y defensa de aquellos de sus derechos e intereses cuya actuación esté permitida por el ordenamiento jurídico sin la asistencia de la persona que ejerza la patria potestad, tutela o curatela, aunque sean menores incapacitados, siempre que la extensión de la incapacitación no afecte al ejercicio y defensa de los derechos o intereses de que se trate.

3. c) Los hijos emancipados están bajo la patria potestad de los progenitores.

4. b) Los menores no emancipados que no estén bajo la patria potestad.

5. b) La función del curador es la de complementar la capacidad del menor en todos aquellos actos o negocios jurídicos que no puede realizar por sí mismo.

6. c) Siempre que la ley así lo declare expresamente.

7. a) Desde el instante mismo en que, con arreglo a derecho, hubiesen quedado válidamente constituidas.

8. a) Las personas físicas incapacitadas.

9. c) No; puede estar sujeta a curatela.

10. d) No.

11. b) Sí, en aplicación del artículo 4.1.b) de la Ley 39/2015, de 1 de octubre.

12. c) Sí, en aplicación del artículo 4.1.c) de la Ley 39/2015, de 1 de octubre.

13. b) Sí, en aplicación del artículo 4.1.b) de la Ley 39/2015, de 1 de octubre.

14. c) Intereses legítimos colectivos.

15. a) Sí, en aplicación del artículo 4.1.a) de la Ley 39/2015, de 1 de octubre.

TEST N.º 2

La Ley 39/2015, de 1 de octubre, del procedimiento administrativo común de las Administraciones Públicas: Título III, De los actos administrativos

1. Señala la respuesta incorrecta. Según el artículo 35 de la Ley 39/2015, de 1 de octubre, de Procedimiento Administrativo Común de las Administraciones Públicas, serán motivados, con sucinta referencia de hechos y fundamentos de Derecho:

a) Los actos que limiten derechos subjetivos o intereses legítimos.

b) Los actos que resuelvan procedimientos de revisión de oficio de disposiciones o actos administrativos, recursos administrativos, reclamaciones previas a la vía judicial y procedimientos de arbitraje.

c) Los actos que se separen del criterio seguido en actuaciones precedentes o del dictamen de órganos consultivos.

d) Los actos declarativos de derechos.

2. De acuerdo con el artículo 39 de la Ley 39/2015, de 1 de octubre, de Procedimiento Administrativo Común de las Administraciones Públicas, con carácter general, los actos de las Administraciones Públicas sujetos al Derecho Administrativo se presumirán válidos y producirán efectos desde:

a) La fecha en que se dicten, salvo que en ellos se disponga otra cosa.

b) Su notificación.

c) Su publicación.

d) La aprobación superior.

3. En relación con las notificaciones en papel, de acuerdo con lo dispuesto en el artículo 42 de la Ley 39/2015, de 1 de octubre, de Procedimiento Administrativo Común de las Administraciones Públicas de los actos administrativos, señala la respuesta incorrecta:

a) Se notificarán a los interesados las resoluciones y actos administrativos que afecten a sus derechos e intereses.

b) Toda notificación deberá ser cursada dentro del plazo de diez días a partir de la fecha en que el acto haya sido dictado.

c) En los procedimientos iniciados a solicitud del interesado, la notificación se practicará en el domicilio del interesado. Cuando ello no fuera posible, en cualquier lugar adecuado a tal fin.

d) Cuando la notificación se practique en el domicilio del interesado, de no hallarse presente este en el momento de entregarse la notificación podrá hacerse cargo de la misma cualquier persona mayor de 14 años que se encuentre en el domicilio y haga constar su identidad.

4. Conforme al artículo 45 de la Ley 39/2015, de 1 de octubre, de Procedimiento Administrativo Común de las Administraciones Públicas, la publicación sustituirá a la notificación surtiendo sus mismos efectos en los siguientes casos:

a) Cuando el acto tenga por destinatario a una persona jurídica.

b) Cuando la Administración estime que la notificación efectuada a un solo interesado es insuficiente para garantizar la notificación a todos, siendo, en este último caso, adicional a la notificación efectuada.

c) En los procedimientos iniciados a solicitud del interesado.

d) Cuando la notificación se practique en el domicilio del interesado.

5. De acuerdo con el artículo 47 de la Ley 39/2015, de 1 de octubre, de Procedimiento Administrativo Común de las Administraciones Públicas, los actos de las Administraciones Públicas son nulos de pleno derecho en los casos siguientes:

a) Los actos de la Administración que incurran en cualquier infracción del ordenamiento jurídico.

b) Los actos dictados por órgano manifiestamente incompetente por razón de la jerarquía.

c) Los actos que tengan un contenido imposible.

d) Los actos de la Administración que incurran en desviación de poder.

6. Son anulables, de acuerdo con el artículo 48.1 de la Ley 39/2015, de 1 de octubre, de Procedimiento Administrativo Común de las Administraciones Públicas:

a) Los actos de la Administración que incurran en cualquier infracción del ordenamiento jurídico, incluso la desviación de poder.

b) Los actos dictados prescindiendo total y absolutamente del procedimiento legalmente establecido o de las normas que contienen las reglas esenciales para la formación de la voluntad de los órganos colegiados.

c) Los actos expresos o presuntos contrarios al ordenamiento jurídico por los que se adquieren facultades o derechos cuando se carezca de los requisitos esenciales para su adquisición.

d) Los actos dictados por órgano manifiestamente incompetente por razón de la materia.

7. Conforme con el artículo 48.2 de la Ley 39/2015, de 1 de octubre, de Procedimiento Administrativo Común de las Administraciones Públicas, el defecto de forma de los actos de las Administraciones Públicas solo determinará la anulabilidad:

a) Siempre.

b) Nunca.

c) Cuando el acto carezca de los requisitos formales, dando lugar a la indefensión de los interesados.

d) Cuando el acto administrativo se notifique fuera de plazo, no siendo esencial el término o plazo.

8. La Administración podrá convalidar los actos anulables, subsanando los vicios de que adolezcan. Si el vicio consistiera en incompetencia no determinante de nulidad, la convalidación podrá realizarse, de conformidad con el artículo 52.3 de la Ley 39/2015, de 1 de octubre, de Procedimiento Administrativo Común de las Administraciones Públicas, por:

a) El órgano competente cuando sea inferior jerárquico del que dictó el acto viciado.

b) El órgano competente cuando sea superior jerárquico del que dictó el acto viciado.

c) El órgano competente por razón de la materia.

d) El órgano competente por razón del territorio.

9. En relación con la forma de los actos administrativos, señala la respuesta incorrecta:

a) Los actos administrativos se producirán por escrito a través de medios electrónicos, a menos que su naturaleza exija otra forma más adecuada de expresión y constancia.

b) En los casos en que los órganos administrativos ejerzan su competencia de forma verbal, la constancia escrita del acto, cuando sea necesaria, se efectuará y firmará por el titular del órgano superior, expresando en la comunicación del mismo la autoridad de la que procede.

c) Si se tratara de resoluciones, el titular de la competencia deberá autorizar una relación de las que haya dictado de forma verbal, con expresión de su contenido.

d) Cuando deba dictarse una serie de actos administrativos de la misma naturaleza, tales como nombramientos, concesiones o licencias, podrán refundirse en un único acto.

10. Son actos anulables de acuerdo con el artículo 48 de la Ley 39/2015, de 1 de octubre, de Procedimiento Administrativo Común de las Administraciones Públicas:

a) Los de contenido imposible.

b) Los que carezcan de los requisitos formales indispensables para alcanzar su fin.

c) Los dictados prescindiendo total y absolutamente de los procedimientos legalmente establecidos para ellos.

d) Los dictados prescindiendo total y absolutamente del procedimiento establecido por las normas que contienen las reglas esenciales para la formación de la voluntad de los órganos colegiados.

11. De todas las resoluciones citadas a continuación, ¿cuáles de ellas no necesitarán ser motivadas?

a) Las que sigan el criterio seguido en actuaciones precedentes.
b) Los acuerdos de suspensión de actos.
c) Las que se dicten en el ejercicio de potestades discrecionales.
d) Las que resuelvan los recursos.

12. ¿En qué casos un defecto de forma determinará la anulabilidad del acto?

a) Cuando carezcan de los requisitos formales indispensables para alcanzar su fin o dé lugar a indefensión.
b) Cuando sean insubsanables.
c) Solo en los casos en los que se dé lugar a indefensión.
d) Solo cuando carezcan de los requisitos formales indispensables.

13. Señala la respuesta incorrecta. Cuando una Administración Pública tenga que dictar, en el ámbito de sus competencias, un acto que necesariamente tenga por base otro dictado por una Administración Pública distinta y aquella entienda que es ilegal:

a) Podrá requerir a la otra Administración previamente para que anule o revise el acto de acuerdo con lo dispuesto en el artículo 44 de la Ley 29/1998, de 13 de julio, reguladora de la Jurisdicción Contencioso-Administrativa.
b) Realizado el requerimiento y al ser rechazado este, podrá interponer recurso contencioso-administrativo.
c) Realizado el requerimiento y al ser rechazado este, podrá interponer recurso de revisión.
d) En estos casos, quedará suspendido el procedimiento para dictar resolución.

14. Las notificaciones administrativas por medios electrónicos requerirán para su validez:

a) El señalamiento explícito de dicho medio de notificación en el momento de iniciación del procedimiento.
b) El establecimiento de este sistema por medio de una norma de rango legal.
c) El acceso a su contenido, momento a partir del cual la notificación se entenderá practicada a todos los efectos legales.
d) El establecimiento de este sistema por medio de una norma de rango reglamentario.

15. Por regla general una notificación electrónica se entenderá rechazada con los efectos previstos en el artículo 43.2 de la Ley 39/2015, de 1 de octubre, del Procedimiento Administrativo Común de las Administraciones Públicas, cuando teniendo constancia de la puesta a disposición transcurran:

a) Diez días hábiles sin que se acceda a su contenido.
b) Diez días naturales desde que se accedió al contenido sin existir respuesta.
c) Diez días naturales sin que se acceda al contenido.
d) Quince días hábiles desde que se accedió al contenido sin existir respuesta.

En MADTEST tienes **más preguntas de este tema**, y todos tus avances quedan registrados y se reflejan en el ranking.

¡Supera tus límites con MADTEST!

Solución al test n.º 2

1. d) Los actos declarativos de derechos.

2. a) La fecha en que se dicten, salvo que en ellos se disponga otra cosa.

3. c) En los procedimientos iniciados a solicitud del interesado, la notificación se practicará en el domicilio del interesado. Cuando ello no fuera posible, en cualquier lugar adecuado a tal fin.

4. b) Cuando la Administración estime que la notificación efectuada a un solo interesado es insuficiente para garantizar la notificación a todos, siendo, en este último caso, adicional a la notificación efectuada.

5. c) Los actos que tengan un contenido imposible.

6. a) Los actos de la Administración que incurran en cualquier infracción del ordenamiento jurídico, incluso la desviación de poder.

7. c) Cuando el acto carezca de los requisitos formales, dando lugar a la indefensión de los interesados.

8. b) El órgano competente cuando sea superior jerárquico del que dictó el acto viciado.

9. b) En los casos en que los órganos administrativos ejerzan su competencia de forma verbal, la constancia escrita del acto, cuando sea necesaria, se efectuará y firmará por el titular del órgano superior, expresando en la comunicación del mismo la autoridad de la que procede.

10. b) Los que carezcan de los requisitos formales indispensables para alcanzar su fin.

11. a) Las que sigan el criterio seguido en actuaciones precedentes.

12. a) Cuando carezcan de los requisitos formales indispensables para alcanzar su fin o dé lugar a indefensión.

13. c) Realizado el requerimiento y al ser rechazado este, podrá interponer recurso de revisión.

14. c) El acceso a su contenido, momento a partir del cual la notificación se entenderá practicada a todos los efectos legales.

15. c) Diez días naturales sin que se acceda al contenido.

TEST N.º 3

La Ley 39/2015, de 1 de octubre, del procedimiento administrativo común de las Administraciones Públicas: Título IV, De las disposiciones sobre el procedimiento administrativo común; Título V, De la revisión de los actos en vía administrativa

1. Los que tuvieren la condición de interesados en un procedimiento administrativo, podrán conocer del estado de la tramitación del mismo:

a) En el trámite de audiencia.
b) En el trámite de información pública.
c) En cualquier momento
d) Solo cuando lo permita el instructor del procedimiento.

2. Las medidas provisionales adoptadas antes de la iniciación del procedimiento administrativo, deberán ser confirmadas, modificadas o levantadas en el acuerdo de iniciación del procedimiento, que deberá efectuarse:

a) Dentro de los quince días siguientes a su adopción, pudiendo ser recurrido.
b) Dentro de los veinte días siguientes a su adopción, pudiendo de ser recurrido.
c) Dentro de los diez días siguientes a su adopción, sin posibilidad de ser recurrido.
d) Dentro de los veinte días siguientes a su adopción, sin posibilidad de ser recurrido.

3. Cuando el acuerdo de iniciación del procedimiento no contenga un pronunciamiento expreso acerca de las medidas provisionales previas, dichas medidas:

a) Se mantendrán, hasta la fase de alegaciones.
b) Se mantendrán, salvo que haya recurso pendiente.
c) Se prorrogaran por quince días.
d) Quedarán sin efecto.

4. Los procedimientos de naturaleza sancionadora se iniciarán:

a) De oficio o a instancia de parte.
b) Siempre a instancia de parte.

c) Siempre de oficio.
d) En virtud de denuncia.

5. Si la solicitud de iniciación del procedimiento administrativo no reúne los requisitos recogidos en la Ley 39/2015 u otros exigidos por la legislación específica aplicable:

a) Se inadmitirá la solicitud presentada por el interesado.
b) Se le dará un plazo de cinco días para que vuelva a presentar la solicitud correctamente.
c) Se le dará un plazo de veinte días para que subsane la falta o acompañe los documentos preceptivos.
d) Se le dará un plazo de diez días para que subsane la falta o acompañe los documentos preceptivos.

6. ¿Suspenderá la tramitación del procedimiento las cuestiones incidentales que se susciten en el mismo?

a) No.
b) Sí.
c) No, salvo las que se refieran a la nulidad de actuaciones.
d) No, incluso las relativas a la recusación no se suspenderán.

7. Señala cuál de las siguientes no podrá adoptarse como medidas provisionales en un procedimiento administrativo:

a) Embargo preventivo de bienes.
b) Inmovilización de cosa mueble.
c) Retirada o intervención de bienes productivos.
d) Suspensión definitiva de actividades.

8. El interesado en el procedimiento administrativo tiene derecho:

a) A formular alegaciones y a utilizar los medios de defensa admitidos por el Ordenamiento Jurídico en cualquier fase del procedimiento.
b) A formular alegaciones, a utilizar los medios de defensa admitidos por el Ordenamiento Jurídico, y a aportar documentos en cualquier fase del procedimiento anterior al trámite de audiencia.
c) A formular alegaciones y a utilizar los medios de defensa admitidos por el Ordenamiento Jurídico en cualquier fase del procedimiento, pero solo podrá aportar documentos con posterioridad al trámite de audiencia.
d) A formular alegaciones y a utilizar los medios de defensa admitidos por el Ordenamiento Jurídico en cualquier fase del procedimiento anterior al dictado de la resolución por la que se pone fin al procedimiento.

9. Contra el acuerdo de acumulación de procedimientos:

a) Cabe recurso de revisión.
b) Cabe recurso extraordinario de revisión.
c) No cabe recurso alguno.
d) Cabe recurso de alzada.

10. Los procedimientos administrativos que no tengan naturaleza sancionadora se podrán iniciar:

a) Por acuerdo del órgano competente o a petición razonada de otros órganos.
b) Por acuerdo del órgano competente, bien por propia iniciativa o como consecuencia de orden superior, a petición razonada de otros órganos o por denuncia.
c) Por denuncia solamente.
d) De oficio siempre.

11. Cuando el procedimiento se iniciara por una denuncia en la que se invocara un perjuicio en el patrimonio de las Administraciones Públicas:

a) La no iniciación del procedimiento deberá ser motivada y se notificará a los denunciantes la decisión de si se ha iniciado o no el procedimiento.
b) La iniciación del procedimiento deberá ser motivada y no se notificará a los denunciantes, si el instructor lo considera oportuno.
c) La no iniciación del procedimiento quedará a la decisión del instructor, sin necesidad de motivarla, salvo a petición del denunciante.
d) La no iniciación del procedimiento nunca deberá ser motivada.

12. Los interesados podrán solicitar el inicio de un procedimiento de responsabilidad patrimonial:

a) Siempre.
b) Dentro de los cuatro años siguientes a aquel en que se produjo el acto que motiva la indemnización.
c) Si así se dispone por sentencia.
d) Cuando no haya prescrito su derecho a reclamar.

13. El plazo de subsanación de la solicitud de iniciación del procedimiento podrá ampliarse prudencialmente, cuando la aportación de los documentos requeridos presente dificultades especiales:

a) Hasta cinco días.
b) Hasta diez días.
c) Hasta quince días.
d) Siempre por diez días más.

14. En los procedimientos de naturaleza sancionadora, ¿cuál de los siguientes no es un derecho de los presuntos responsables?

a) A ser notificado de la identidad del instructor.
b) A saber quién es la autoridad competente para imponer la sanción.
c) A ser informado de sus derechos procesales penales.
d) A ser notificado de los hechos que se le imputen.

15. ¿Hay presunción de existencia de responsabilidad administrativa mientras no se demuestre lo contrario?

a) Sí, salvo excepciones.
b) Nunca.
c) Solo en los procedimientos de naturaleza sancionadora.
d) Siempre.

En MADTEST tienes **más preguntas de este tema**, y todos tus avances quedan registrados y se reflejan en el ranking.

¡Supera tus límites con MADTEST!

Solución al test n.º 3

1. c) En cualquier momento.

2. a) Dentro de los quince días siguientes a su adopción, pudiendo ser recurrido.

3. d) Quedarán sin efecto.

4. c) Siempre de oficio.

5. d) Se le dará un plazo de diez días para que subsane la falta o acompañe los documentos preceptivos.

6. a) No.

7. d) Suspensión definitiva de actividades.

8. b) A formular alegaciones, a utilizar los medios de defensa admitidos por el Ordenamiento Jurídico, y a aportar documentos en cualquier fase del procedimiento anterior al trámite de audiencia.

9. c) No cabe recurso alguno.

10. b) Por acuerdo del órgano competente, bien por propia iniciativa o como consecuencia de orden superior, a petición razonada de otros órganos o por denuncia.

11. a) La no iniciación del procedimiento deberá ser motivada y se notificará a los denunciantes la decisión de si se ha iniciado o no el procedimiento.

12. d) Cuando no haya prescrito su derecho a reclamar.

13. a) Hasta cinco días.

14. c) A ser informado de sus derechos procesales penales.

15. b) Nunca.

TEST N.º 4

Los órganos de las administraciones públicas. Principios de actuación y funcionamiento. Clases de órganos. Órganos colegiados. La competencia: naturaleza, clases y criterios de delimitación. Las relaciones interorgánicas: coordinación y jerarquía. Desconcentración y delegación de competencias. Delegación de firma. Encomienda de gestión. Avocación

1. En cuanto a la competencia de los órganos administrativos:

a) La competencia es renunciable por los órganos que la tengan atribuida.

b) La titularidad y el ejercicio de las competencias atribuidas a los órganos administrativos no podrán ser desconcentradas en otros jerárquicamente dependientes de aquellos.

c) La encomienda de gestión, la delegación de firma y la suplencia no suponen alteración de la titularidad de la competencia, aunque sí de los elementos determinantes de su ejercicio que en cada caso se prevén.

d) Si alguna disposición atribuye competencia a una Administración, sin especificar el órgano que debe ejercerla, se entenderá que la facultad de instruir y resolver los expedientes corresponde a los órganos superiores competentes por razón de la materia y del territorio.

2. En referencia a los órganos administrativos, podrán delegar competencias relativas a:

a) Asuntos que se refieran a relaciones con la Jefatura del Estado.

b) La adopción de disposiciones de carácter general.

c) La resolución de recursos en los órganos administrativos que hayan dictado los actos objeto de recurso.

d) El ejercicio de la potestad sancionadora.

3. En relación con la delegación de competencias entre órganos administrativos, no es cierto que:

a) La delegación puede ser revocada en cualquier momento por el órgano que la haya conferido.

b) La delegación de competencias atribuidas a órganos colegiados, para cuyo ejercicio ordinario se requiera un quórum especial, deberá adoptarse observando, en todo caso, dicho quórum.

c) Las competencias que se ejercen por delegación pueden ser delegadas.

d) No podrán ser delegadas aquellas materias en que así se determine por norma con rango de ley.

4. En cuanto a la delegación de firma, es cierto que:

a) La delegación de firma altera la competencia del órgano delegante.

b) Para su validez es necesaria su publicación.

c) Solo puede delegarse la firma en materias que se ostenten por atribución.

d) En las resoluciones y actos que se firmen por delegación se hará constar la autoridad de procedencia.

5. En relación con los conflictos de atribuciones entre órganos administrativos, no es cierto que:

a) El órgano administrativo que se estime incompetente para la resolución de un asunto remitirá directamente las actuaciones al órgano que considere competente.

b) Los interesados que sean parte en el procedimiento podrán dirigirse al órgano que se encuentre conociendo de un asunto para que decline su competencia y remita las actuaciones al órgano competente.

c) Los interesados podrán dirigirse al órgano que estimen competente para que requiera de inhibición al que esté conociendo del asunto.

d) Los conflictos de atribuciones solo podrán suscitarse entre órganos de una misma Administración relacionados jerárquicamente.

6. En relación con las instrucciones y órdenes de servicio, no es cierto que:

a) El incumplimiento de las instrucciones u órdenes de servicio supone la invalidez de los actos dictados por los órganos administrativos.

b) Son normas de carácter interno, que no han de afectar a los administrados.

c) No requieren un especial procedimiento de elaboración.

d) Su cumplimiento se subordina al conocimiento de las mismas por sus destinatarios.

7. Señala la respuesta incorrecta. Las autoridades y el personal al servicio de las Administraciones se abstendrán de intervenir en el procedimiento:

a) Cuando tengan interés personal en el asunto de que se trate o en otro en cuya resolución pudiera influir la de aquel.

b) Si tienen parentesco de consanguinidad o de afinidad dentro del cuarto grado, con cualquiera de los interesados.

c) Tener amistad íntima con los administradores de entidades o sociedades interesadas o con los asesores, representantes legales o mandatarios que intervengan en el procedimiento.

d) Haber tenido intervención como perito o como testigo en el procedimiento de que se trate.

8. Señala la respuesta correcta en relación con la abstención en el procedimiento:

a) La actuación de autoridades y personal al servicio de las Administraciones Públicas en los que concurran motivos de abstención implicará, necesariamente, la invalidez de los actos en que hayan intervenido.

b) Los órganos jerárquicamente superiores podrán ordenar a las personas en quienes se dé alguna de las circunstancias señaladas en el art. 23 de la LRJSP que se abstengan de toda intervención en el expediente.

c) La no abstención en los casos en que proceda no dará lugar a responsabilidad.

d) La enemistad manifiesta no es motivo de abstención en el procedimiento de una autoridad de la Administración Pública.

9. En lo concerniente a la recusación, a la que se refiere el art. 24 de la LRJSP:

a) La recusación deberá promoverse por los interesados antes de que se inicie la tramitación del procedimiento.

b) La recusación se planteará por escrito en el que se expresará la causa o causas en que se funda.

c) Si el recusado niega la causa de recusación, el superior resolverá en el plazo de tres meses, previos los informes y comprobaciones que considere oportunos.

d) Contra las resoluciones adoptadas en esta materia cabe recurso de alzada.

10. Los órganos administrativos podrán dirigir las actividades de sus órganos jerárquicamente dependientes mediante:

a) Instrucciones y Órdenes de servicio.

b) Circulares.

c) Notas de servicio y Recomendaciones.

d) Directrices y Avisos.

11. A tenor de Entrena Cuesta, en consideración a su elemento subjetivo, es decir, a la persona o personas titulares del órgano, se distingue entre:

a) Órganos unipersonales o individuales y colectivos o colegiados.

b) Órganos de competencia general y órganos de competencia especial.

c) Órganos activos, consultivos y de control.

d) Órganos simples y complejos.

12. Señala uno de los requisitos necesarios exigidos para la creación de cualquier órgano administrativo:

a) Delimitación de sus funciones y competencias.
b) Determinación de su forma de integración en la Administración Pública de que se trate y su dependencia jerárquica.
c) Dotación de los créditos necesarios para su puesta en marcha y funcionamiento.
d) Todas las respuestas son correctas.

13. Señala la respuesta incorrecta respecto a las instrucciones y órdenes de servicio:

a) Las Instrucciones y Órdenes de Servicio son normas de carácter interno, que no han de afectar a los administrados, que no requieren un especial procedimiento de elaboración y cuyo cumplimiento se subordina al conocimiento de las mismas por sus destinatarios.
b) Las Instrucciones se producen en relación con un órgano o grupo de órganos y sobre asuntos concretos y singulares.
c) Su incumplimiento conllevará la exigencia de responsabilidad disciplinaria sobre la base del TR-LEBEP.
d) El incumplimiento de las instrucciones u órdenes de servicio no afecta por sí solo a la validez de los actos dictados por los órganos administrativos.

14. Señala la respuesta incorrecta respecto a la abstención:

a) Los órganos jerárquicamente superiores a quien se encuentre en alguna de las circunstancias motivo de abstención podrán ordenarle que se abstengan de toda intervención en el expediente.
b) Es motivo de abstención tener interés personal en el asunto de que se trate o en otro en cuya resolución pudiera influir la de aquel.
c) Es motivo de abstención haber intervenido como perito o como testigo en el procedimiento de que se trate.
d) La actuación de autoridades y personal al servicio de las Administraciones Públicas en los que concurran motivos de abstención implicará, necesariamente la invalidez de los actos en que hayan intervenido.

15. Si el recusado niega la causa de recusación, el superior resolverá, previos los informes y comprobaciones que considere oportunos, en el plazo de:

a) Siete días.
b) Cinco días.
c) Tres días.
d) Dos días.

En MADTEST tienes **más preguntas de este tema,** y todos tus avances quedan registrados y se reflejan en el ranking.

¡Supera tus límites con MADTEST!

Solución al test n.º 4

1. c) La encomienda de gestión, la delegación de firma y la suplencia no suponen alteración de la titularidad de la competencia, aunque sí de los elementos determinantes de su ejercicio que en cada caso se prevén.

2. d) El ejercicio de la potestad sancionadora.

3. c) Las competencias que se ejercen por delegación pueden ser delegadas.

4. d) En las resoluciones y actos que se firmen por delegación se hará constar la autoridad de procedencia.

5. d) Los conflictos de atribuciones sólo podrán suscitarse entre órganos de una misma Administración relacionados jerárquicamente.

6. a) El incumplimiento de las instrucciones u órdenes de servicio supone la invalidez de los actos dictados por los órganos administrativos.

7. b) Si tienen parentesco de consanguinidad o de afinidad dentro del cuarto grado, con cualquiera de los interesados.

8. b) Los órganos jerárquicamente superiores podrán ordenar a las personas en quienes se dé alguna de las circunstancias señaladas en el art. 23 de la LRJSP que se abstengan de toda intervención en el expediente.

9. b) La recusación se planteará por escrito en el que se expresará la causa o causas en que se funda.

10. a) Instrucciones y Órdenes de servicio.

11. a) Órganos unipersonales o individuales y colectivos o colegiados.

12. d) Todas las respuestas son correctas.

13. b) Las Instrucciones se producen en relación con un órgano o grupo de órganos y sobre asuntos concretos y singulares.

14. d) La actuación de autoridades y personal al servicio de las Administraciones Públicas en los que concurran motivos de abstención implicará, necesariamente la invalidez de los actos en que hayan intervenido.

15. c) Tres días.

TEST N.º 5

Actividad de limitación, arbitral y de fomento. La Ley 38/2003, de 17 de noviembre, General de Subvenciones: Título Preliminar, Disposiciones generales; Título I, Procedimientos de concesión y gestión de las subvenciones. La Ley 1/2015, de 6 de febrero, de la Generalitat, de Hacienda Pública, del Sector Público Instrumental y de Subvenciones: Título X, Subvenciones

1. La Ley General de Subvenciones está prevista en la:

a) Ley 10/2008.
b) Ley 38/2003.
c) Ley 15/2003.
d) Ley 1/2003.

2. El Reglamento de subvenciones se regula por el:

a) RD 500/1997.
b) RD 887/2006.
c) RD 36/2023.
d) RD 267/2021.

3. ¿En qué norma autonómica se regula el régimen de subvenciones?

a) Ley 5/2009.
b) Ley 1/2003.
c) Ley 1/2015.
d) Ley 38/2005.

4. Están excluidos del ámbito de aplicación de la Ley 38/2003:

a) Los premios que se otorguen sin la previa solicitud del beneficiario.
b) Las subvenciones previstas en la Ley Orgánica 5/1985, de 19 de junio, del Régimen Electoral General.
c) Las subvenciones reguladas en la Ley Orgánica 3/1987, de 2 de julio, de Financiación de los Partidos Políticos.
d) Todas las respuestas anteriores son correctas.

5. No tienen carácter de subvenciones los siguientes supuestos:

a) Las prestaciones reconocidas por el Fondo de Garantía Salarial.
b) Los beneficios fiscales y beneficios en la cotización a la Seguridad Social.
c) El crédito oficial, salvo en los supuestos en que la Administración Pública subvencione al prestatario la totalidad o parte de los intereses u otras contraprestaciones de la operación de crédito.
d) Todas son correctas.

6. Para que se considere subvención pública debe cumplir:

a) Que la entrega se realice sin contraprestación directa de los beneficiarios.
b) Que la entrega esté sujeta al cumplimiento de un determinado objetivo, la ejecución de un proyecto, la realización de una actividad, la adopción de un comportamiento singular, ya realizados o por desarrollar, o la concurrencia de una situación, debiendo el beneficiario cumplir las obligaciones materiales y formales que se hubieran establecido.
c) Que el proyecto, la acción, conducta o situación financiada tenga por objeto el fomento de una actividad de utilidad pública o interés social o de promoción de una finalidad pública.
d) Todas las respuestas anteriores son correctas.

7. Señala la respuesta correcta:

a) Se consideran subvenciones y ayudas públicas regladas aquellas que se destinan a una pluralidad de beneficiarios y que se otorguen por la Administración con arreglo a los principios de publicidad, libre concurrencia y objetividad.
b) Las subvenciones otorgadas en supuestos especiales o subvenciones específicas por razón de su objeto son las concedidas cuando sea posible promover la concurrencia de interesados en el procedimiento.
c) Son subvenciones nominativas las que se abonen mediante transferencia de financiación y tengan como destino la financiación de las actividades u operaciones no singularizadas de las entidades beneficiarias.
d) Son subvenciones de explotación o de capital aquellas cuyos beneficiarios figuren nominativamente en los créditos iniciales de la Ley de Presupuesto de la Comunidad Autónoma o en otra norma de rango legal.

8. La gestión de las subvenciones se realizará de acuerdo con los principios de:

a) Economía.
b) Singularidad del solicitante.
c) Transparencia.
d) Todas las respuestas anteriores son correctas.

9. La norma reguladora de las bases de concesión de las subvenciones concretará, como mínimo, los siguientes extremos:

a) Órganos competentes para la ordenación, instrucción y resolución del procedimiento de concesión de la subvención y el plazo en que será notificada la resolución.
b) Determinación, en su caso, de los libros y registros contables específicos para garantizar la adecuada justificación de la subvención.

c) Plazo y forma de justificación por parte del beneficiario o de la entidad colaboradora, en su caso, del cumplimiento de la finalidad para la que se concedió la subvención y de la aplicación de los fondos percibidos.

d) Todas las respuestas anteriores son correctas.

10. Son obligaciones del beneficiario:

a) Cumplir el objetivo, ejecutar el proyecto, realizar la actividad o adoptar el comportamiento que fundamenta la concesión de las subvenciones.

b) Comunicar al órgano concedente o la entidad colaboradora la obtención de otras subvenciones, ayudas, ingresos o recursos que financien las actividades subvencionadas.

c) Conservar los documentos justificativos de la aplicación de los fondos recibidos, incluidos los documentos electrónicos, en tanto puedan ser objeto de las actuaciones de comprobación y control.

d) Todas las respuestas anteriores son correctas.

11. Podrán concederse de forma directa las siguientes subvenciones:

a) Las previstas nominativamente en los Presupuestos Generales del Estado, de las Comunidades Autónomas o de las Entidades Locales, pudiendo otorgarse subvenciones por cuantía superior a la determinada en la convocatoria.

b) Aquellas cuyo otorgamiento o cuantía venga impuesto a la Administración por una norma de rango legal, que seguirán el procedimiento de concesión que les resulte de aplicación de acuerdo con su propia normativa, pudiendo otorgarse subvenciones por cuantía superior a la determinada en la convocatoria.

c) Con carácter excepcional, aquellas otras subvenciones en que se acrediten razones de interés público, social, económico o humanitario, u otras debidamente justificadas que dificulten su convocatoria pública.

d) Todas las respuestas anteriores son correctas.

12. Señala la respuesta correcta:

a) La instrucción del procedimiento de concesión de subvenciones corresponde al órgano que se designe en la convocatoria.

b) Las actividades de instrucción comprenderán entre otras la petición de cuantos informes estime necesarios para resolver, siendo el plazo para su emisión de 15 días, salvo que el órgano instructor solicite su emisión en un plazo mayor, sin que en este último caso pueda exceder de tres meses.

c) El órgano instructor, a la vista del expediente y del informe del órgano colegiado, formulará la propuesta de resolución provisional, debidamente motivada, que deberá notificarse a los interesados en la forma que establezca la convocatoria, y se concederá un plazo de 20 días para presentar alegaciones.

d) La propuesta de resolución definitiva se notificará a los interesados que hayan sido propuestos como beneficiarios en la fase de instrucción, para que en el plazo de un mes comuniquen su aceptación, creando un derecho a favor del beneficiario propuesto, frente a la Administración, mientras no se le haya notificado la resolución de concesión.

13. En cuanto a la resolución para la concesión de subvenciones:

a) Una vez aprobada la propuesta de resolución definitiva, el órgano competente resolverá el procedimiento de forma motivada de conformidad con lo que dispongan las bases reguladoras de la subvención debiendo, en todo caso, quedar acreditados en el procedimiento los fundamentos de la resolución que se adopte.

b) La resolución, además de contener el solicitante o relación de solicitantes a los que se concede la subvención, hará constar, en su caso, de manera expresa, la desestimación del resto de las solicitudes.

c) El plazo máximo para resolver y notificar la resolución del procedimiento no podrá exceder de tres meses, salvo que una norma con rango de ley establezca un plazo mayor o así venga previsto en la normativa de la Unión Europea.

d) Las respuestas a) y b) son correctas.

14. La notificación de la resolución del procedimiento:

a) Se hará a los interesados de acuerdo con lo previsto en el artículo 50 de la Ley 38/2015, de 3 de octubre, del Procedimiento Administrativo Común de las Administraciones Públicas.

b) Se hará a los interesados de acuerdo con lo previsto en el artículo 40 de la Ley 39/2015, de 3 de octubre, del Procedimiento Administrativo Común de las Administraciones Públicas.

c) Se ajustará a las disposiciones contenidas en los artículos 49 y siguientes de la Ley 39/2015, de 1 de octubre, del Procedimiento Administrativo Común de las Administraciones Públicas.

d) Se ajustará a las disposiciones contenidas en los artículos 45 y siguientes de la Ley 39/2015, de 3 de octubre, del Procedimiento Administrativo Común de las Administraciones Públicas.

15. Las normas especiales reguladoras de las subvenciones indicadas en el párrafo c) del apartado 2 del artículo 22 de la Ley 38/2003 se desarrollan en el artículo 67 del RD 887/2006, de 21 de julio, y contendrá como mínimo los siguientes extremos:

a) Definición del objeto de las subvenciones, con indicación del carácter singular de las mismas y las razones que acreditan el interés público, social, económico o humanitario y aquellas que justifican la dificultad de su convocatoria pública.

b) Régimen jurídico aplicable, beneficiarios y modalidades de ayuda.

c) Procedimiento de concesión y régimen de justificación de la aplicación dada a las subvenciones por los beneficiarios y, en su caso, entidades colaboradoras.

d) Todas son correctas.

En MADTEST tienes **más preguntas de este tema**, y todos tus avances quedan registrados y se reflejan en el ranking.

¡Supera tus límites con MADTEST!

Solución al test n.º 5

1. b) Ley 38/2003.

2. b) RD 887/2006.

3. c) Ley 1/2015.

4. d) Todas las respuestas anteriores son correctas.

5. d) Todas son correctas.

6. d) Todas las respuestas anteriores son correctas.

7. a) Se consideran subvenciones y ayudas públicas regladas aquellas que se destinan a una pluralidad de beneficiarios y que se otorguen por la Administración con arreglo a los principios de publicidad, libre concurrencia y objetividad.

8. c) Transparencia.

9. d) Todas las respuestas anteriores son correctas.

10. d) Todas las respuestas anteriores son correctas.

11. c) Con carácter excepcional, aquellas otras subvenciones en que se acrediten razones de interés público, social, económico o humanitario, u otras debidamente justificadas que dificulten su convocatoria pública.

12. a) La instrucción del procedimiento de concesión de subvenciones corresponde al órgano que se designe en la convocatoria.

13. d) Las respuestas a) y b) son correctas.

14. b) Se hará a los interesados de acuerdo con lo previsto en el artículo 40 de la Ley 39/2015, de 3 de octubre, del Procedimiento Administrativo Común de las Administraciones Públicas.

15. d) Todas son correctas.

Los contratos del sector público. Objeto y ámbito de aplicación de la Ley de Contratos del Sector Público. Delimitación de los tipos contractuales. Contratos administrativos y contratos privados. Perfección y forma del contrato. Régimen de invalidez. Partes del contrato. Objeto, presupuesto base de licitación, valor estimado, precio del contrato y su revisión. Garantías exigibles en la contratación del sector público. Normas generales de la preparación de contratos por las administraciones públicas

1. En la contratación pública, la existencia de una necesidad administrativa no permite acudir al mercado de manera libre o indiferenciada. Para que el contrato responda correctamente a la función que le atribuye la LCSP, la Administración debe partir de una actuación previa consistente en:

a) Tramitar el expediente sin necesidad de definir previamente la prestación, siempre que exista crédito.

b) Identificar la necesidad pública, definir un objeto idóneo y justificar la adecuación del contrato a esa finalidad.

c) Seleccionar a la empresa con mayor experiencia general en el sector, aunque la prestación no esté precisada.

d) Aprobar primero la adjudicación y concretar después el contenido técnico del contrato.

2. La LCSP conecta la contratación pública con la eficiencia en el gasto y el control de fondos públicos. Esa conexión implica que el órgano de contratación debe actuar de forma especialmente cuidadosa en la preparación económica del expediente, porque:

a) El precio puede fijarse libremente tras la adjudicación si la prestación resulta necesaria.

b) La estabilidad presupuestaria afecta a la ejecución, pero no condiciona la preparación del contrato.

c) La existencia de crédito permite prescindir del análisis del valor estimado y del presupuesto base de licitación.

d) El contrato debe responder a una necesidad real, tener objeto adecuado y contar con una previsión económica suficiente.

3. La incorporación de criterios sociales y medioambientales en la contratación pública responde a una finalidad estratégica. De acuerdo con la LCSP, esa incorporación resulta jurídicamente admisible cuando dichos criterios:

a) Guardan relación con el objeto del contrato y respetan igualdad, proporcionalidad y no discriminación.

b) Se introducen como objetivos generales de política pública sin vinculación con la prestación contratada.

c) Permiten sustituir los requisitos de solvencia por compromisos genéricos de responsabilidad social.

d) Se aplican después de valorar las ofertas para mejorar la puntuación de una empresa determinada.

4. La libertad de acceso a las licitaciones no impide que la Administración exija requisitos a los operadores económicos. La clave jurídica de esa exigencia se encuentra en que los requisitos de capacidad, solvencia o habilitación:

a) Se fijen atendiendo al tamaño económico de las empresas que suelen contratar con el sector público.

b) Se establezcan de forma homogénea para todos los contratos de una misma Administración.

c) Estén justificados, sean proporcionales y guarden relación con el objeto del contrato.

d) Se sustituyan por declaraciones informales cuando la prestación tenga escasa complejidad.

5. La publicidad y la transparencia cumplen una función esencial en la contratación pública. Desde la perspectiva de los licitadores y del control público, su finalidad principal es:

a) Permitir que la Administración modifique las reglas del procedimiento cuando lo exija la ejecución.

b) Dar a conocer las oportunidades de contratación, las reglas aplicables y las razones de las decisiones adoptadas.

c) Evitar que el expediente contenga documentación económica antes de la adjudicación.

d) Reservar la información contractual a quienes hayan participado en licitaciones anteriores.

6. La igualdad de trato entre licitadores exige que la Administración respete durante todo el procedimiento las reglas previamente fijadas. Una actuación contraria a este principio sería:

a) Aplicar un criterio de valoración no previsto en los pliegos para favorecer una oferta concreta.

b) Exigir solvencia técnica vinculada al objeto contractual y proporcionada a la prestación.

c) Publicar los pliegos en el perfil de contratante para permitir la concurrencia.

d) Valorar las ofertas conforme a criterios conocidos por todas las personas licitadoras.

7. El ámbito objetivo de la LCSP parte de la idea de contrato oneroso. Conforme a esta noción, un contrato tiene carácter oneroso cuando:

a) La Administración paga necesariamente un precio en dinero al contratista.

b) La prestación se ejecuta sin contraprestación económica ni ventaja evaluable.

c) El contrato se celebra mediante procedimiento abierto y con publicidad.

d) El contratista obtiene algún beneficio económico, directo o indirecto.

8. Los contratos subvencionados sujetos a regulación armonizada presentan una peculiaridad respecto de la entidad que celebra el contrato. Esa peculiaridad consiste en que:

a) Son contratos celebrados por Administraciones públicas sin financiación externa.

b) Son contratos excluidos de la LCSP por estar financiados con fondos públicos.

c) Pueden ser celebrados por personas físicas o jurídicas distintas del poder adjudicador, pero con financiación relevante de este.

d) Se someten al régimen laboral cuando el beneficiario de la subvención contrata personal.

9. Las exclusiones de los artículos 4 a 11 de la LCSP delimitan negativamente el ámbito objetivo de la Ley. Cuando una relación jurídica queda excluida, ello significa que:

a) Se rige por su normativa especial, sin perjuicio de la aplicación de los principios de la LCSP para dudas y lagunas.

b) Carece de control jurídico porque no se considera contrato del sector público.

c) Se somete de forma íntegra a la LCSP en preparación, adjudicación, efectos y extinción.

d) Debe tramitarse mediante procedimiento abierto aunque no exista contrato público.

10. La clasificación subjetiva de las entidades del sector público es relevante porque determina la intensidad de sujeción a la LCSP. En esa clasificación, las Administraciones públicas se caracterizan por:

a) Estar sometidas a la LCSP con menor intensidad que las entidades del sector público que no son poder adjudicador.

b) Celebrar contratos privados en todos los casos, con independencia del objeto.

c) Aplicar reglas de Derecho privado en la preparación y adjudicación de todos sus contratos.

d) Estar sometidas al régimen más completo, especialmente en contratos administrativos.

11. En el ámbito de la Generalitat Valenciana, la Administración de la Generalitat tiene la consideración de Administración pública a efectos de la LCSP. Esta calificación resulta relevante porque:

a) Permite excluir sus contratos de la aplicación de los principios de publicidad y transparencia.

b) Determina la aplicación intensa del régimen contractual público cuando actúa como órgano contratante.

c) Convierte todos sus contratos patrimoniales en contratos administrativos típicos.

d) Impide la existencia de entidades autonómicas con distinta intensidad de sujeción.

12. Los poderes adjudicadores que no tienen la condición de Administración pública responden a una categoría especialmente vinculada al Derecho de la Unión Europea. Su finalidad es:

a) Excluir de la contratación pública a las entidades con forma jurídico-privada.

b) Aplicar el régimen de personal funcionario a las sociedades mercantiles públicas.

c) Someter a reglas de publicidad y competencia a entidades vinculadas al sector público que satisfacen necesidades de interés general.

d) Permitir que las fundaciones públicas contraten sin atender a los principios de la LCSP.

13. Las entidades del sector público que no tienen la condición de poder adjudicador quedan sometidas a la LCSP con menor intensidad. No obstante, esa menor intensidad no significa que puedan contratar al margen de toda regla, porque deben respetar:

a) Las exigencias mínimas y principios aplicables derivados de su pertenencia al sector público.

b) El régimen íntegro de prerrogativas administrativas previsto para los contratos administrativos.

c) Las reglas de contratación laboral aplicables a su personal directivo.

d) El procedimiento de expropiación forzosa cuando adquieran bienes muebles.

14. La correcta calificación de un contrato del sector público no depende de la denominación utilizada por el órgano de contratación. La razón es que la calificación debe basarse en:

a) La forma de financiación elegida por el contratista.

b) La denominación comercial utilizada en la memoria justificativa.

c) El contenido real de las prestaciones que integran el objeto contractual.

d) La preferencia del órgano de contratación por un procedimiento determinado.

15. El contrato de obras se define por referencia a la ejecución de una obra, a los trabajos del Anexo I o a la realización de una obra bajo influencia decisiva de la entidad contratante. En este contexto, la obra se caracteriza por ser:

a) Una prestación de hacer que no puede recaer sobre bienes inmuebles.

b) La adquisición de bienes muebles fabricados en serie.

c) La gestión de un servicio público con riesgo operacional.

d) El resultado de trabajos de construcción o ingeniería civil destinado a cumplir una función económica o técnica sobre un bien inmueble.

En MADTEST tienes **más preguntas de este tema,** y todos tus avances quedan registrados y se reflejan en el ranking.

¡Supera tus límites con MADTEST!

Solución al test n.º 6

1. b) Identificar la necesidad pública, definir un objeto idóneo y justificar la adecuación del contrato a esa finalidad.

2. d) El contrato debe responder a una necesidad real, tener objeto adecuado y contar con una previsión económica suficiente.

3. a) Guardan relación con el objeto del contrato y respetan igualdad, proporcionalidad y no discriminación.

4. c) Estén justificados, sean proporcionales y guarden relación con el objeto del contrato.

5. b) Dar a conocer las oportunidades de contratación, las reglas aplicables y las razones de las decisiones adoptadas.

6. a) Aplicar un criterio de valoración no previsto en los pliegos para favorecer una oferta concreta.

7. d) El contratista obtiene algún beneficio económico, directo o indirecto.

8. c) Pueden ser celebrados por personas físicas o jurídicas distintas del poder adjudicador, pero con financiación relevante de este.

9. a) Se rige por su normativa especial, sin perjuicio de la aplicación de los principios de la LCSP para dudas y lagunas.

10. d) Estar sometidas al régimen más completo, especialmente en contratos administrativos.

11. b) Determina la aplicación intensa del régimen contractual público cuando actúa como órgano contratante.

12. c) Someter a reglas de publicidad y competencia a entidades vinculadas al sector público que satisfacen necesidades de interés general.

13. a) Las exigencias mínimas y principios aplicables derivados de su pertenencia al sector público.

14. c) El contenido real de las prestaciones que integran el objeto contractual.

15. d) El resultado de trabajos de construcción o ingeniería civil destinado a cumplir una función económica o técnica sobre un bien inmueble.

La Administración electrónica en la Comunitat Valenciana. Protección de datos de carácter personal. Decreto 30/2025, de 25 de febrero, del Consell, por el que se regula la atención a la ciudadanía y las oficinas de asistencia en materia de registro en la Administración y el sector público instrumental de la Generalitat

1. En el modelo actual de Administración electrónica, la utilización de medios digitales no se limita a sustituir soportes en papel por herramientas informáticas. ¿Cuál es la idea que mejor expresa su alcance jurídico y organizativo?

a) Supone una forma completa de actuación administrativa que afecta a procedimientos, documentos, expedientes, registros, notificaciones, interoperabilidad, seguridad y protección de datos.

b) Consiste en habilitar portales informativos para que la ciudadanía consulte datos generales sin producir efectos administrativos.

c) Se reduce a permitir que las personas presenten escritos por internet cuando voluntariamente opten por ese canal.

d) Se identifica exclusivamente con la tramitación interna automatizada de expedientes por parte de los órganos administrativos.

2. La actuación administrativa por medios electrónicos se presenta como forma ordinaria de funcionamiento del sector público. ¿Qué consecuencia se deriva correctamente de esta afirmación?

a) Los canales presenciales desaparecen cuando existe una sede electrónica disponible.

b) Las garantías procedimentales quedan sustituidas por controles técnicos internos.

c) El procedimiento, la gestión documental y las relaciones administrativas se diseñan desde parámetros electrónicos, sin eliminar necesariamente otros canales.

d) Las personas físicas quedan obligadas en todo caso a relacionarse electrónicamente con cualquier Administración.

3. Una persona física no obligada pretende relacionarse con la Administración valenciana por medios no electrónicos. ¿Qué regla general resulta aplicable conforme al régimen básico?

a) Debe utilizar medios electrónicos si el procedimiento está disponible en sede electrónica.

b) Puede elegir el medio de relación, salvo que exista obligación legal o reglamentaria de relacionarse electrónicamente.

c) Debe presentar primero una solicitud electrónica para poder actuar después por otro canal.

d) Puede usar medios no electrónicos, pero sus escritos producirán efectos desde la digitalización interna.

4. Una entidad sin personalidad jurídica presenta una solicitud presencialmente, pese a estar obligada a relacionarse electrónicamente. ¿Cuál es la consecuencia más ajustada al régimen general?

a) La solicitud queda automáticamente inadmitida sin necesidad de actuación administrativa posterior.

b) La Administración debe tramitarla en papel porque ha sido presentada por un cauce registral válido.

c) La presentación presencial despliega efectos desde la fecha inicial si se digitaliza en una oficina pública.

d) Debe requerirse la subsanación mediante presentación electrónica, y la fecha relevante será la de dicha subsanación.

5. La sede electrónica cumple una función distinta de la del portal de internet. ¿Cuál de las siguientes afirmaciones refleja correctamente esa diferencia?

a) El portal de internet produce efectos jurídicos plenos, mientras que la sede electrónica tiene finalidad meramente informativa.

b) La sede electrónica es el entorno oficial para actuaciones con efectos jurídicos, mientras que el portal cumple principalmente funciones de información, orientación y difusión institucional.

c) Ambos conceptos son equivalentes cuando pertenecen a una misma Administración pública.

d) La sede electrónica se limita a publicar noticias administrativas y el portal permite presentar solicitudes.

6. En relación con la identificación y la firma electrónicas, ¿cuál es la distinción correcta?

a) La identificación acredita la voluntad de la persona y la firma permite consultar información general.

b) La identificación y la firma tienen idéntico alcance siempre que se utilice un certificado electrónico.

c) La identificación permite determinar quién actúa, mientras que la firma atribuye jurídicamente una concreta manifestación de voluntad o conformidad.

d) La firma solo se exige en las relaciones internas entre órganos administrativos, no en actuaciones de la ciudadanía.

7. El registro electrónico tiene una función esencial en la tramitación administrativa. ¿Cuál de las siguientes opciones expresa mejor su utilidad jurídica?

a) Deja constancia de la presentación de solicitudes, escritos y comunicaciones, fijando fecha, hora, asiento y documentación asociada.

b) Sirve únicamente para almacenar documentos internos sin efectos frente a la ciudadanía.

c) Sustituye la necesidad de expediente administrativo cuando la solicitud se presenta en sede electrónica.

d) Permite considerar presentados todos los documentos desde la fecha en que fueron elaborados por la persona interesada.

8. En los registros electrónicos, la disponibilidad permanente no altera por sí misma las reglas jurídicas sobre plazos. ¿Qué afirmación es correcta?

a) Toda presentación realizada en día inhábil se entiende realizada el mismo día natural a todos los efectos.

b) La presentación electrónica fuera del horario administrativo carece de validez.

c) La presentación en día inhábil se entiende, con carácter general, realizada en la primera hora del primer día hábil siguiente.

d) El calendario de días inhábiles solo afecta a los registros presenciales, no a los electrónicos.

9. El documento administrativo electrónico no se identifica con cualquier archivo digital. ¿Qué elemento resulta necesario para que tenga valor administrativo?

a) Que haya sido enviado por correo electrónico a una unidad administrativa.

b) Que reúna requisitos que permitan identificarlo, verificar su origen, asegurar su integridad y conservarlo válidamente.

c) Que haya sido creado en un formato editable por cualquier órgano administrativo.

d) Que pueda imprimirse en papel y firmarse manualmente por la persona interesada.

10. El índice electrónico autenticado del expediente administrativo electrónico cumple una función especialmente relevante. ¿Cuál es esa función?

a) Permite acreditar la integridad del expediente y comprobar los documentos y actuaciones que lo componen.

b) Sustituye la necesidad de que los documentos incorporados al expediente estén correctamente identificados.

c) Sirve para publicar automáticamente el expediente completo en la sede electrónica.

d) Permite eliminar los documentos originales una vez dictada la resolución.

11. Las oficinas de asistencia en materia de registro intervienen en la conexión entre soporte papel y tramitación electrónica. ¿Cuál es su actuación característica cuando una persona presenta documentos en papel en los supuestos procedentes?

a) Digitalizan la documentación para incorporarla al expediente electrónico y devuelven los originales salvo que proceda su custodia.

b) Conservan todos los originales en papel y remiten una copia simple al órgano gestor.

c) Rechazan cualquier documento en papel aunque la persona no esté obligada a relacionarse electrónicamente.

d) Registran la documentación únicamente si la persona interesada aporta previamente una copia electrónica firmada.

12. En materia de notificaciones electrónicas, el aviso enviado al correo electrónico o dispositivo señalado por la persona interesada tiene una función auxiliar. ¿Qué consecuencia se deriva de ello?

a) El aviso equivale a la notificación cuando contiene el asunto del procedimiento.

b) La falta de aviso invalida la notificación aunque se haya puesto a disposición correctamente.

c) Lo decisivo es la puesta a disposición en el sistema habilitado, no el aviso complementario.

d) El aviso sustituye la comparecencia en sede cuando la persona está obligada a recibir notificaciones electrónicas.

13. Si una notificación electrónica se pone correctamente a disposición y la persona destinataria no accede a su contenido durante diez días naturales, ¿qué regla general se aplica?

a) Se entiende rechazada, salvo que se compruebe imposibilidad técnica o material de acceso.

b) Se archiva la actuación hasta que la persona interesada acceda voluntariamente.

c) Debe repetirse mediante notificación en papel antes de que produzca efectos.

d) Se entiende practicada solo si la Administración acredita que se leyó el aviso complementario.

14. La interoperabilidad administrativa se conecta directamente con el derecho a no aportar documentos ya obrantes en poder de la Administración. ¿Qué límite debe respetarse en todo caso?

a) La interoperabilidad permite consultar cualquier dato disponible si facilita la tramitación.

b) La consulta de datos debe respetar finalidad, minimización, proporcionalidad, competencia y trazabilidad de accesos.

c) Los datos obtenidos por interoperabilidad pueden reutilizarse para procedimientos futuros sin nueva valoración.

d) La persona interesada debe aportar nuevamente los documentos si pertenecen a otra Administración.

15. El Decreto 30/2025 regula la atención a la ciudadanía y las oficinas de asistencia en materia de registro. ¿Qué idea refleja mejor su función dentro del modelo valenciano?

a) Sustituye el régimen básico estatal de procedimiento administrativo en el ámbito de la Generalitat.

b) Regula exclusivamente la atención presencial en oficinas físicas.

c) Organiza la relación asistencial y registral con la ciudadanía dentro de un sistema coordinado con la administración electrónica.

d) Desplaza la aplicación del Real Decreto 203/2021 en las relaciones con el sector público instrumental valenciano.

En MADTEST tienes **más preguntas de este tema**, y todos tus avances quedan registrados y se reflejan en el ranking.

¡Supera tus límites con MADTEST!

Solución al test n.º 7

1. a) Supone una forma completa de actuación administrativa que afecta a procedimientos, documentos, expedientes, registros, notificaciones, interoperabilidad, seguridad y protección de datos.

2. c) El procedimiento, la gestión documental y las relaciones administrativas se diseñan desde parámetros electrónicos, sin eliminar necesariamente otros canales.

3. b) Puede elegir el medio de relación, salvo que exista obligación legal o reglamentaria de relacionarse electrónicamente.

4. d) Debe requerirse la subsanación mediante presentación electrónica, y la fecha relevante será la de dicha subsanación.

5. b) La sede electrónica es el entorno oficial para actuaciones con efectos jurídicos, mientras que el portal cumple principalmente funciones de información, orientación y difusión institucional.

6. c) La identificación permite determinar quién actúa, mientras que la firma atribuye jurídicamente una concreta manifestación de voluntad o conformidad.

7. a) Deja constancia de la presentación de solicitudes, escritos y comunicaciones, fijando fecha, hora, asiento y documentación asociada.

8. c) La presentación en día inhábil se entiende, con carácter general, realizada en la primera hora del primer día hábil siguiente.

9. b) Que reúna requisitos que permitan identificarlo, verificar su origen, asegurar su integridad y conservarlo válidamente.

10. a) Permite acreditar la integridad del expediente y comprobar los documentos y actuaciones que lo componen.

11. a) Digitalizan la documentación para incorporarla al expediente electrónico y devuelven los originales salvo que proceda su custodia.

12. c) Lo decisivo es la puesta a disposición en el sistema habilitado, no el aviso complementario.

13. a) Se entiende rechazada, salvo que se compruebe imposibilidad técnica o material de acceso.

14. b) La consulta de datos debe respetar finalidad, minimización, proporcionalidad, competencia y trazabilidad de accesos.

15. c) Organiza la relación asistencial y registral con la ciudadanía dentro de un sistema coordinado con la administración electrónica.

II. Función Pública

TEST N.º 8

La regulación constitucional de la función pública. El Real Decreto Legislativo 5/2015, de 30 de octubre, que aprueba la Ley del Estatuto Básico del Empleado Público: Objeto y ámbito de aplicación. La Ley 4/2021, de 16 de abril, de la Función Pública Valenciana: Objeto, principios y ámbito de aplicación de la ley. Organización de la administración de la Generalitat en materia de función pública

1. En la configuración constitucional de la Administración, la posición del personal al servicio de los poderes públicos no se explica por una lógica de pertenencia corporativa ni por una disponibilidad funcional abierta. La formulación más ajustada es que esa posición se define por su inserción en una organización orientada a:

a) La preservación prioritaria de la estabilidad interna de cada aparato administrativo.
b) La realización de fines públicos y la satisfacción objetiva del interés general.
c) La ejecución preferente de directrices de oportunidad formuladas por los órganos superiores.
d) La garantía de autonomía técnica plena de cada unidad gestora frente al resto de la organización.

2. La exigencia de sometimiento pleno al ordenamiento jurídico proyecta efectos directos sobre la gestión del empleo público. Desde esa perspectiva, resulta correcto afirmar que las decisiones sobre personal:

a) Pueden basarse en criterios internos de oportunidad siempre que no exista prohibición expresa.
b) Quedan sujetas solo a los reglamentos de organización dictados por cada Administración.
c) Deben adoptarse conforme a reglas previas de competencia, procedimiento y contenido jurídico.
d) Se sitúan en un ámbito esencialmente discrecional por formar parte de la autoorganización.

3. Cuando la eficacia se proyecta sobre la organización del personal, no basta con asociarla a una idea de celeridad o rendimiento inmediato. Su comprensión más correcta exige relacionarla con:

a) La previsión, distribución y utilización adecuada de recursos humanos en función de las necesidades del servicio.
b) La simplificación de controles jurídicos en los ámbitos internos de gestión.
c) La libre adaptación de funciones al margen de la estructura de puestos existente.
d) La prioridad de los resultados materiales sobre las exigencias procedimentales.

4. La jerarquía administrativa, como principio de funcionamiento, tiene incidencia en la ordenación del trabajo público. Su comprensión adecuada exige tener presente que:

a) Absorbe por completo la responsabilidad individual de quien ejecuta órdenes de servicio.
b) Autoriza a sustituir el criterio jurídico por el criterio funcional del superior.
c) Convierte toda discrepancia técnica en un incumplimiento disciplinario.
d) Opera como relación de dirección y dependencia sin excluir legalidad ni responsabilidad personal.

5. El acceso en condiciones de igualdad al empleo público no supone ausencia de requisitos, pero sí exige ciertas garantías materiales en el modo de seleccionar. La formulación más correcta es que ese acceso debe producirse:

a) Mediante convocatorias suficientemente abiertas, aunque la valoración final quede remitida al criterio técnico del órgano de selección.
b) A través de procesos en los que la valoración global de la persona aspirante pueda compensar la falta de requisitos específicos.
c) Mediante procedimientos que permitan modular los requisitos según las necesidades de cada órgano administrativo.
d) A través de requisitos legalmente establecidos y de procedimientos objetivos que garanticen igualdad y no discriminación.

6. La conexión entre igualdad y no discriminación en el acceso al empleo público obliga a examinar con cautela cualquier diferencia de trato. Esa diferencia solo resulta compatible con el sistema cuando:

a) Responda a una previsión reglamentaria aprobada antes de la convocatoria.
b) Se apoye en una justificación objetiva y proporcionada relacionada con las funciones a desempeñar.
c) Beneficie a quienes ya hayan tenido algún vínculo previo con la Administración.
d) Se motive de forma suficiente en la resolución final del proceso selectivo.

7. La reserva de ley en materia de función pública no impide el desarrollo reglamentario, pero sí condiciona el modo de estructurar el régimen del personal funcionario. De ello se desprende que:

a) La regulación legal solo es necesaria para la adquisición inicial de la condición funcionarial.

b) El reglamento puede configurar por sí solo el núcleo esencial de la relación funcionarial.

c) La autoorganización administrativa permite fijar libremente el estatuto básico del personal.

d) Los aspectos esenciales del régimen del personal funcionario requieren cobertura legal, sin excluir desarrollo reglamentario.

8. Los principios de mérito y capacidad operan como límite frente a determinadas formas de selección o promoción. Desde esa lógica, lo que resulta incompatible con ellos es:

a) La valoración de conocimientos, aptitudes o experiencia relevante.

b) La adecuación de las pruebas a las funciones efectivamente asignables.

c) La utilización de criterios vinculados a la idoneidad profesional objetivable.

d) La preferencia basada en afinidades personales o en vínculos de confianza.

9. Las incompatibilidades y las garantías de imparcialidad no responden solo a una técnica de orden interno, sino a una determinada forma de concebir el servicio público. Desde esa perspectiva, su razón principal es:

a) Asegurar que el ejercicio de funciones públicas no quede condicionado por intereses ajenos al servicio.

b) Permitir que la dedicación al servicio público conviva, por regla general, con otras actividades retribuidas.

c) Diferenciar al personal funcionario del laboral en el plano estrictamente organizativo.

d) Reservar la exigencia de neutralidad a quienes intervienen en procedimientos de control o sanción.

10. La distribución de competencias en materia de función pública permite la coexistencia de una base común y de desarrollos territoriales propios. La formulación más precisa de esa idea es que:

a) Cada Administración territorial define libremente su modelo de empleo público sin condicionantes básicos.

b) El Estado regula el núcleo básico común y las comunidades autónomas lo desarrollan en su ámbito.

c) Las comunidades autónomas solo pueden ejecutar, pero no legislar, en esta materia.

d) La función pública local queda al margen de toda construcción básica general.

11. El texto refundido del Estatuto Básico del Empleado Público no surgió como norma materialmente desvinculada de antecedentes. Su significado técnico se entiende mejor afirmando que:

a) Sustituyó a todas las leyes autonómicas previas mediante una regulación íntegra y uniforme.

b) Reordenó y unificó en un solo texto legal una normativa anterior ya existente.

c) Se limitó a incorporar disposiciones reglamentarias dispersas sobre personal público.

d) Estableció un régimen transitorio hasta la aprobación de un estatuto funcionarial definitivo.

12. La técnica de refundición aplicada al TREBEP permitió algo más que una mera recopilación. Su función jurídica se aprecia especialmente cuando se observa que hizo posible:

a) La exclusión de toda remisión a regímenes especiales de personal.

b) La sustitución del desarrollo legislativo por regulación exclusivamente reglamentaria.

c) La integración, aclaración y armonización de una normativa fragmentada.

d) La absorción automática de los convenios colectivos del sector público.

13. La relevancia del TREBEP en el sistema jurídico del empleo público no se debe a que concentre toda la regulación posible de la materia. Su importancia se entiende mejor si se afirma que constituye:

a) Un texto orientador para la legislación autonómica, carente de eficacia básica propia.

b) Una regulación cerrada que absorbe por completo las especialidades sectoriales.

c) Un régimen pensado primordialmente para la Administración del Estado, extensible solo en parte al resto.

d) La base común de referencia desde la que se articulan desarrollos normativos y regímenes aplicables en empleo público.

14. Cuando se dice que el TREBEP establece las bases del régimen estatutario del personal funcionario, no se está afirmando que cierre por completo el sistema. Lo que indica realmente es que:

a) Fija un marco esencial común susceptible de desarrollo por las normas competentes.

b) Reduce la función pública a un conjunto de principios sin eficacia directa.

c) Impide toda concreción autonómica de órganos o instrumentos de gestión.

d) Desvincula el régimen funcionarial del modelo constitucional de Administración.

15. El personal laboral al servicio de las Administraciones públicas ocupa una posición singular dentro del sistema de empleo público. Su régimen se entiende mejor señalando que:

a) Queda excluido de la lógica general del empleo público por su naturaleza contractual.
b) Se rige únicamente por convenio colectivo, salvo en materia disciplinaria.
c) Combina legislación laboral con las previsiones del TREBEP que le resulten aplicables.
d) Se integra plenamente en el mismo estatuto jurídico del personal funcionario.

En MADTEST tienes **más preguntas de este tema,** y todos tus avances quedan registrados y se reflejan en el ranking.

¡Supera tus límites con MADTEST!

Solución al test n.º 8

1. b) La realización de fines públicos y la satisfacción objetiva del interés general.

2. c) Deben adoptarse conforme a reglas previas de competencia, procedimiento y contenido jurídico.

3. a) La previsión, distribución y utilización adecuada de recursos humanos en función de las necesidades del servicio.

4. d) Opera como relación de dirección y dependencia sin excluir legalidad ni responsabilidad personal.

5. d) A través de requisitos legalmente establecidos y de procedimientos objetivos que garanticen igualdad y no discriminación.

6. b) Se apoye en una justificación objetiva y proporcionada relacionada con las funciones a desempeñar.

7. d) Los aspectos esenciales del régimen del personal funcionario requieren cobertura legal, sin excluir desarrollo reglamentario.

8. d) La preferencia basada en afinidades personales o en vínculos de confianza.

9. a) Asegurar que el ejercicio de funciones públicas no quede condicionado por intereses ajenos al servicio.

10. b) El Estado regula el núcleo básico común y las comunidades autónomas lo desarrollan en su ámbito.

11. b) Reordenó y unificó en un solo texto legal una normativa anterior ya existente.

12. c) La integración, aclaración y armonización de una normativa fragmentada.

13. d) La base común de referencia desde la que se articulan desarrollos normativos y regímenes aplicables en empleo público.

14. a) Fija un marco esencial común susceptible de desarrollo por las normas competentes.

15. c) Combina legislación laboral con las previsiones del TREBEP que le resulten aplicables.

TEST N.º 9

Personal al servicio de las administraciones públicas: Concepto y clases de personal empleado público; Dirección Pública Profesional. Estructura y ordenación del empleo público: Estructuración del empleo público; Ordenación de los puestos de trabajo; Instrumentos de planificación y ordenación del empleo público; Registros de personal

1. El concepto de personal empleado público en el TREBEP parte de una noción amplia que integra vínculos jurídicos distintos dentro de una misma categoría general. Esa amplitud no elimina las diferencias entre clases de personal, pero permite identificar unos elementos comunes que justifican su sometimiento a principios públicos. ¿Cuál de las siguientes formulaciones recoge correctamente esos elementos?

a) Desempeño de funciones retribuidas en las Administraciones públicas al servicio de los intereses generales.

b) Prestación de servicios en cualquier entidad que reciba fondos públicos, aunque no exista integración en una organización administrativa.

c) Ejercicio de funciones representativas mediante elección o designación política en órganos institucionales.

d) Colaboración profesional externa con la Administración mediante encargos sujetos a Derecho privado.

2. La Ley 4/2021, de la Función Pública Valenciana, define el personal empleado público en conexión con su propio ámbito de aplicación y de forma coordinada con el TREBEP. Esta definición autonómica no sustituye la noción básica estatal, sino que la concreta para las Administraciones y entidades incluidas en la norma valenciana. ¿Qué rasgo incorpora expresamente esa definición?

a) La exigencia de que toda prestación de servicios tenga naturaleza funcionarial.

b) La dependencia directa de un órgano político como requisito común de la relación.

c) El desempeño profesional de funciones retribuidas al servicio de los intereses generales.

d) La identificación del empleo público con cualquier actividad contratada por el sector público.

3. La categoría general de personal empleado público engloba figuras con régimen jurídico diferente. Esta diferenciación resulta esencial porque condiciona el acceso, la forma de vinculación, la duración de la relación, las funciones asignables y las causas de cese. ¿Cuál de las siguientes relaciones reproduce correctamente las clases básicas recogidas en el TREBEP?

a) Personal político, personal directivo, personal colaborador y personal externo.

b) Personal funcionario de carrera, personal funcionario interino, personal laboral y personal eventual.

c) Personal estatutario, personal mercantil, personal representativo y personal temporal.

d) Personal fijo, personal indefinido, personal directivo y personal de confianza institucional.

4. El personal funcionario de carrera mantiene con la Administración una relación jurídica que no se basa en la negociación individual de sus condiciones ni en un contrato de trabajo. Su régimen responde a la necesidad de garantizar profesionalidad, continuidad administrativa, imparcialidad y sometimiento a Derecho. ¿Cuál es la formulación más precisa de esa relación?

a) Relación contractual laboral sometida de forma preferente al convenio colectivo aplicable.

b) Relación de confianza no permanente para funciones de asesoramiento especial.

c) Relación profesional externa articulada mediante contratos del sector público.

d) Relación estatutaria regulada por el Derecho Administrativo, nacida de nombramiento legal.

5. La reserva de determinadas funciones al personal funcionario constituye una garantía institucional vinculada al ejercicio de potestades públicas y a la protección de los intereses generales. Esta reserva impide que funciones especialmente conectadas con autoridad, decisión, control o salvaguardia pública se atribuyan a vínculos inadecuados. ¿Qué afirmación resulta correcta?

a) Corresponde al personal funcionario el ejercicio de funciones que impliquen participación directa o indirecta en potestades públicas o salvaguardia de intereses generales.

b) Corresponde al personal laboral el ejercicio ordinario de potestades públicas cuando el puesto tenga contenido técnico.

c) Corresponde al personal eventual la tramitación decisoria cuando dependa de una autoridad superior.

d) Corresponde al personal directivo profesional cualquier función pública que tenga repercusión jurídica externa.

6. El personal funcionario interino se configura como una figura temporal y causal, vinculada a necesidades justificadas y a supuestos legalmente previstos. Su existencia no altera la regla de cobertura estable de las funciones permanentes ni permite transformar la temporalidad en una vía ordinaria de acceso a la función pública de carrera. ¿Cuál es la afirmación correcta?

a) Es personal laboral temporal que desempeña funciones administrativas mientras se convoca la plaza.

b) Es personal eventual nombrado para sustituir a personal funcionario en puestos estructurales.

c) Es personal nombrado por razones justificadas de necesidad y urgencia para desempeñar funciones propias del personal funcionario de carrera.

d) Es personal funcionario de carrera que ocupa provisionalmente un puesto hasta su provisión definitiva.

7. Los supuestos habilitantes del nombramiento interino se encuentran delimitados por la normativa básica y por la regulación autonómica aplicable. La finalidad de esa delimitación es evitar que la interinidad se utilice como fórmula ordinaria para sostener necesidades estructurales sin planificación ni cobertura definitiva. ¿Cuál de los siguientes supuestos encaja en esa regulación?

a) El nombramiento discrecional para funciones de confianza o asesoramiento especial.

b) La cobertura de puestos directivos al margen de publicidad y concurrencia.

c) La incorporación de personal laboral fijo por decisión organizativa interna.

d) La sustitución transitoria de las personas titulares durante el tiempo en que subsista la causa que la justifica.

8. El régimen jurídico del personal funcionario interino se aproxima al del personal funcionario de carrera, pero debe aplicarse de forma compatible con la temporalidad de su nombramiento. Esta regla permite exigir deberes y responsabilidades semejantes sin alterar la naturaleza temporal de la relación. ¿Cuál es la consecuencia correcta?

a) La prestación prolongada de servicios convierte la interinidad en carrera funcionarial.

b) El régimen general del personal funcionario de carrera se aplica en cuanto sea adecuado a la condición temporal del personal interino.

c) La interinidad queda excluida de los principios de responsabilidad, incompatibilidad y conducta pública.

d) El nombramiento interino transforma el puesto en temporal mientras permanezca ocupándolo la persona nombrada.

9. El personal laboral al servicio de las Administraciones públicas se diferencia del personal funcionario por el origen contractual de su vínculo. Sin embargo, esa naturaleza laboral no permite prescindir de los principios constitucionales y legales propios del empleo público. ¿Cuál de las siguientes afirmaciones es correcta?

a) El personal laboral se vincula mediante contrato de trabajo formalizado por escrito, sin quedar al margen de los principios de igualdad, mérito, capacidad, publicidad y transparencia.

b) El personal laboral se selecciona libremente porque la Administración actúa como empleadora privada.

c) El personal laboral se integra necesariamente en cuerpos y escalas funcionariales al formalizar el contrato.

d) El personal laboral puede ejercer potestades públicas si el contrato tiene duración indefinida.

10. La clasificación del personal laboral en fijo, por tiempo indefinido o temporal exige especial precisión en el sector público. La duración de la relación, la forma de acceso y la causa de la contratación son elementos relevantes para evitar confusiones entre estabilidad laboral y fijeza en el empleo público. ¿Qué afirmación resulta más ajustada?

a) El personal laboral temporal puede atender necesidades estructurales si existe disponibilidad presupuestaria.

b) El personal indefinido se convierte en personal funcionario cuando realiza funciones permanentes.

c) La modalidad contractual carece de relevancia cuando la prestación se desarrolla en una Administración pública.

d) El personal laboral fijo es quien ha accedido a una plaza o puesto permanente mediante procedimientos respetuosos con los principios de acceso al empleo público.

11. El personal eventual ocupa una posición singular porque su fundamento no se encuentra en la cobertura ordinaria de necesidades administrativas, sino en la confianza o el asesoramiento especial. Esta configuración condiciona su nombramiento, sus funciones, su cese y los límites de su utilización. ¿Cuál de las siguientes opciones define correctamente esta figura?

a) Personal funcionario que desempeña puestos de jefatura por libre designación.

b) Personal laboral fijo adscrito a órganos superiores para tareas técnicas.

c) Personal nombrado con carácter no permanente para realizar funciones expresamente calificadas como de confianza o asesoramiento especial.

d) Personal directivo profesional sometido a evaluación periódica por objetivos.

12. La delimitación funcional del personal eventual tiene una importancia especial porque protege los principios de igualdad, mérito y capacidad. Si esta figura se utilizara para tareas ordinarias, se abriría una vía de desempeño de funciones públicas al margen de los procedimientos ordinarios de acceso. Por ello, el personal eventual:

a) Puede asumir funciones administrativas ordinarias cuando exista confianza institucional suficiente.

b) No debe desempeñar funciones ordinarias, permanentes, técnicas o estructurales de la Administración.

c) Puede sustituir al personal funcionario interino en cualquier supuesto de necesidad urgente.

d) Debe integrarse en las relaciones ordinarias de puestos de trabajo como personal estable.

13. El régimen del personal eventual en la Administración de la Generalitat incorpora reglas específicas de publicidad, control y adscripción. Estas reglas pretenden evitar un uso opaco o expansivo de una figura basada en la confianza y no en los procedimientos ordinarios de acceso al empleo público. ¿Cuál de las siguientes afirmaciones es correcta?

a) El desempeño de un puesto eventual constituye mérito para el acceso a la función pública si ha existido continuidad.

b) Los entes integrantes del sector público instrumental de la Generalitat pueden nombrar personal eventual con carácter general.

c) El cese del personal eventual exige la existencia de una infracción disciplinaria previamente acreditada.

d) El número máximo de personal eventual y sus retribuciones deben ser determinados por el Consell y publicados en el Diari Oficial de la Generalitat Valenciana.

14. La dirección pública profesional aparece en el TREBEP como una figura de configuración legal y reglamentaria. No se identifica con una nueva clase general de personal empleado público, sino con el desempeño de funciones directivas profesionales definidas por cada Administración dentro del marco básico. ¿Cuál es la idea correcta?

a) Es personal directivo quien desarrolla funciones directivas profesionales en las Administraciones públicas, definidas como tales en las normas específicas de cada Administración.

b) Todo puesto denominado jefatura, coordinación o dirección queda incorporado automáticamente a la dirección pública profesional.

c) La dirección pública profesional coincide con el personal eventual cuando se presta apoyo a órganos políticos.

d) El TREBEP regula de forma cerrada y completa todos los puestos directivos existentes en cada Administración.

15. La Ley 4/2021 regula la dirección pública profesional separándola de figuras próximas como los altos cargos, el personal eventual y las jefaturas funcionariales ordinarias. Esta diferenciación permite distinguir la dirección política de la gestión profesional sometida a mérito, capacidad, idoneidad y evaluación. ¿Cuál de las siguientes afirmaciones es correcta?

a) Los altos cargos forman parte de la relación específica de puestos de dirección pública profesional.

b) El personal eventual y el personal directivo profesional comparten el mismo fundamento de confianza y asesoramiento.

c) Quedan excluidos de la dirección pública profesional los puestos de nivel directivo que tengan la consideración de alto cargo.

d) Las jefaturas de servicio se integran en la dirección pública profesional por su posición jerárquica.

En MADTEST tienes **más preguntas de este tema**, y todos tus avances quedan registrados y se reflejan en el ranking.

¡Supera tus límites con MADTEST!

Solución al test n.º 9

1. a) Desempeño de funciones retribuidas en las Administraciones públicas al servicio de los intereses generales.

2. c) El desempeño profesional de funciones retribuidas al servicio de los intereses generales.

3. b) Personal funcionario de carrera, personal funcionario interino, personal laboral y personal eventual.

4. d) Relación estatutaria regulada por el Derecho Administrativo, nacida de nombramiento legal.

5. a) Corresponde al personal funcionario el ejercicio de funciones que impliquen participación directa o indirecta en potestades públicas o salvaguardia de intereses generales.

6. c) Es personal nombrado por razones justificadas de necesidad y urgencia para desempeñar funciones propias del personal funcionario de carrera.

7. d) La sustitución transitoria de las personas titulares durante el tiempo en que subsista la causa que la justifica.

8. b) El régimen general del personal funcionario de carrera se aplica en cuanto sea adecuado a la condición temporal del personal interino.

9. a) El personal laboral se vincula mediante contrato de trabajo formalizado por escrito, sin quedar al margen de los principios de igualdad, mérito, capacidad, publicidad y transparencia.

10. d) El personal laboral fijo es quien ha accedido a una plaza o puesto permanente mediante procedimientos respetuosos con los principios de acceso al empleo público.

11. c) Personal nombrado con carácter no permanente para realizar funciones expresamente calificadas como de confianza o asesoramiento especial.

12. b) No debe desempeñar funciones ordinarias, permanentes, técnicas o estructurales de la Administración.

13. d) El número máximo de personal eventual y sus retribuciones deben ser determinados por el Consell y publicados en el Diari Oficial de la Generalitat Valenciana.

14. a) Es personal directivo quien desarrolla funciones directivas profesionales en las Administraciones públicas, definidas como tales en las normas específicas de cada Administración.

15. c) Quedan excluidos de la dirección pública profesional los puestos de nivel directivo que tengan la consideración de alto cargo.

Situaciones administrativas del personal funcionario de carrera. Derechos, deberes y condiciones de trabajo del personal empleado público de la Generalitat. Régimen de incompatibilidades del personal empleado público. Régimen disciplinario. Nacimiento y extinción de la relación del servicio. Provisión de puestos y movilidad. Promoción profesional

1. En el acceso al empleo público, los principios constitucionales de igualdad, mérito y capacidad no actúan como simples declaraciones generales. Su función consiste en condicionar jurídicamente la convocatoria, las bases, las pruebas y la actuación de los órganos de selección. Desde esta perspectiva, la selección del personal empleado público debe basarse en:

a) La confianza personal ordinaria cuando el puesto tenga funciones administrativas de apoyo.

b) La oportunidad organizativa apreciada libremente por el órgano convocante.

c) La idoneidad profesional acreditada mediante procedimientos objetivos, públicos y transparentes.

d) La preferencia por quienes hayan prestado servicios temporales en la Administración convocante.

2. Los requisitos generales de participación en los procedimientos selectivos deben permitir comprobar que la persona aspirante reúne las condiciones mínimas para acceder al empleo público. Conforme al régimen básico y valenciano, entre esos requisitos se encuentra:

a) Poseer la titulación exigida o cumplir los requisitos para obtenerla al finalizar el plazo de solicitudes.

b) Haber desempeñado previamente un puesto de trabajo en cualquier Administración pública.

c) Haber superado con anterioridad un procedimiento selectivo de la misma naturaleza.

d) Residir en la localidad en la que se encuentre adscrito el puesto convocado.

3. La Ley 4/2021 admite que pueda exigirse competencia lingüística en valenciano para acceder a determinados cuerpos, escalas o agrupaciones profesionales funcionariales. Esa exigencia debe configurarse de manera compatible con:

a) La preferencia automática por aspirantes que tengan vecindad administrativa valenciana.

b) La sustitución de las pruebas selectivas ordinarias por una acreditación lingüística.

c) La exclusión de quienes acrediten otras competencias profesionales equivalentes.

d) La proporcionalidad y adecuación entre el nivel exigido y las funciones correspondientes.

4. Los órganos técnicos de selección cumplen una función esencial en la garantía de la igualdad y la objetividad del acceso al empleo público. Por ello, su composición debe preservar la imparcialidad y excluir a determinados colectivos. No pueden formar parte de estos órganos:

a) Funcionarios de carrera con formación adecuada en las materias objeto de las pruebas.

b) Personal de elección o designación política, personal funcionario interino, personal laboral no fijo ni personal eventual.

c) Personal funcionario de carrera perteneciente a cuerpos o escalas relacionados con las funciones convocadas.

d) Personal laboral fijo cuando el procedimiento tenga por objeto la selección de personal laboral.

5. La superación del proceso selectivo no produce por sí misma la adquisición automática de la condición de personal funcionario de carrera. Para que dicha condición se adquiera válidamente, debe completarse una secuencia de requisitos. Esa secuencia incluye:

a) Superación del proceso selectivo, toma de posesión y evaluación positiva del desempeño durante un año.

b) Superación del proceso selectivo, inscripción registral y autorización de compatibilidad.

c) Superación del proceso selectivo, nombramiento, acatamiento y toma de posesión en plazo.

d) Superación del proceso selectivo, nombramiento provisional y adscripción temporal a una unidad.

6. La Ley 4/2021 concreta el plazo máximo para la toma de posesión del puesto de trabajo tras la publicación del nombramiento. Ese plazo, según el régimen recogido en el documento, no puede ser superior a:

a) Un mes desde la publicación del nombramiento.

b) Dos meses desde la propuesta del órgano técnico de selección.

c) Tres meses desde la finalización del último ejercicio.

d) Seis meses desde la publicación de la convocatoria.

7. El personal funcionario interino se nombra para desempeñar funciones propias del personal funcionario de carrera cuando concurren razones justificadas de necesidad y urgencia. Una de las notas definitorias de esta relación es que:

a) Atribuye estabilidad permanente mientras exista dotación presupuestaria.
b) Convierte el tiempo de servicios en acceso directo a la condición de carrera.
c) Permite prescindir de la causa concreta que justifica el nombramiento.
d) Tiene carácter temporal y finaliza cuando concurre la causa legal correspondiente.

8. La relación del personal laboral al servicio de las Administraciones públicas presenta una naturaleza distinta de la relación funcionarial. Su nacimiento se produce mediante:

a) Nombramiento estatutario publicado en el boletín oficial correspondiente.
b) Contrato de trabajo formalizado por escrito, conforme a la legislación laboral y al régimen de empleo público aplicable.
c) Acto de acatamiento de la Constitución y del Estatut d'Autonomia.
d) Resolución administrativa de adscripción provisional a un puesto funcionarial.

9. El personal eventual responde a una figura singular dentro del empleo público, vinculada a funciones de confianza o asesoramiento especial. Conforme al régimen descrito, su nombramiento y cese se caracterizan porque:

a) El cese es libre y también se produce cuando cesa la autoridad a la que presta funciones de confianza o asesoramiento especial.
b) El nombramiento exige superar oposición o concurso-oposición con pruebas de capacidad.
c) El desempeño constituye mérito para el acceso a la función pública y para la promoción interna.
d) La relación permite desempeñar funciones ordinarias estructurales de gestión administrativa.

10. La dirección pública profesional no constituye una clase de personal empleado público equiparable al personal funcionario, interino, laboral o eventual. Su rasgo diferencial consiste en que el desempeño directivo:

a) Se basa en confianza política y queda al margen de la evaluación de resultados.
b) Exige contrato laboral común en cualquier supuesto.
c) Se vincula a nombramiento, acuerdo-programa, objetivos, evaluación de eficacia y control de resultados.
d) Produce la pérdida de la relación funcionarial de origen cuando la persona directiva es funcionaria de carrera.

11. Las situaciones administrativas ordenan la posición jurídica del personal funcionario de carrera respecto de la Administración a la que pertenece. Su función principal es:

a) Extinguir la relación funcionarial cuando no exista desempeño efectivo de puesto.
b) Sustituir los procedimientos de provisión por decisiones organizativas internas.

c) Convertir en laboral toda relación funcionarial que no esté en servicio activo.

d) Determinar cómo se mantiene, modifica o suspende temporalmente la relación de servicio sin que se extinga por esa sola causa.

12. La Ley 4/2021 enumera las situaciones administrativas del personal funcionario de carrera en el ámbito valenciano. Entre ellas se encuentran:

a) Contratación temporal, libre designación, concurso y comisión de servicios.

b) Servicio activo, servicios especiales, servicio en otras Administraciones públicas, excedencias, expectativa de destino y suspensión de funciones.

c) Oposición, concurso-oposición, promoción interna y carrera horizontal.

d) Jubilación, renuncia, pérdida de nacionalidad e inhabilitación absoluta.

13. El servicio activo constituye la situación ordinaria del personal funcionario de carrera. Esta situación se mantiene, entre otros supuestos, cuando la persona funcionaria:

a) Disfruta de permisos, licencias, vacaciones o periodos de incapacidad temporal.

b) Ha sido separada del servicio mediante sanción disciplinaria firme.

c) Ha renunciado voluntariamente a la condición funcionarial.

d) Ha sido declarada en excedencia voluntaria por interés particular.

14. La comisión de servicios y la adscripción provisional son formas de desempeño o cobertura de puestos que pueden producirse dentro de la relación funcionarial activa. Por ello, cuando no concurre causa legal de cambio de situación, estas formas de provisión:

a) Determinan el pase automático a servicios especiales.

b) Extinguen la situación de servicio activo mientras dure la cobertura temporal.

c) No alteran por sí mismas la situación administrativa de servicio activo.

d) Producen excedencia voluntaria por prestación de servicios en el sector público.

15. La situación de servicios especiales se vincula al desempeño de determinados cargos o responsabilidades públicas. Si la persona funcionaria se encuentra en esta situación, el régimen económico y profesional se caracteriza porque:

a) Percibe las retribuciones de su puesto de origen sin derecho a trienios.

b) Percibe las retribuciones del puesto o cargo desempeñado y conserva el derecho a los trienios reconocidos.

c) Deja de computar el tiempo a efectos de antigüedad y promoción interna.

d) Pierde la condición funcionarial mientras desempeña el cargo correspondiente.

En MADTEST tienes **más preguntas de este tema**, y todos tus avances quedan registrados y se reflejan en el ranking.

¡Supera tus límites con MADTEST!

Solución al test n.º 10

1. c) La idoneidad profesional acreditada mediante procedimientos objetivos, públicos y transparentes.

2. a) Poseer la titulación exigida o cumplir los requisitos para obtenerla al finalizar el plazo de solicitudes.

3. d) La proporcionalidad y adecuación entre el nivel exigido y las funciones correspondientes.

4. b) Personal de elección o designación política, personal funcionario interino, personal laboral no fijo ni personal eventual.

5. c) Superación del proceso selectivo, nombramiento, acatamiento y toma de posesión en plazo.

6. a) Un mes desde la publicación del nombramiento.

7. d) Tiene carácter temporal y finaliza cuando concurre la causa legal correspondiente.

8. b) Contrato de trabajo formalizado por escrito, conforme a la legislación laboral y al régimen de empleo público aplicable.

9. a) El cese es libre y también se produce cuando cesa la autoridad a la que presta funciones de confianza o asesoramiento especial.

10. c) Se vincula a nombramiento, acuerdo-programa, objetivos, evaluación de eficacia y control de resultados.

11. d) Determinar cómo se mantiene, modifica o suspende temporalmente la relación de servicio sin que se extinga por esa sola causa.

12. b) Servicio activo, servicios especiales, servicio en otras Administraciones públicas, excedencias, expectativa de destino y suspensión de funciones.

13. a) Disfruta de permisos, licencias, vacaciones o periodos de incapacidad temporal.

14. c) No alteran por sí mismas la situación administrativa de servicio activo.

15. b) Percibe las retribuciones del puesto o cargo desempeñado y conserva el derecho a los trienios reconocidos.

III. Gestión Económico-Presupuestaria

TEST N.º 11

El presupuesto de la Generalitat (I). Concepto y naturaleza. La estructura en los Presupuestos de la Generalitat. Los principios y reglas de programación y gestión presupuestaria. La programación presupuestaria y el objetivo de estabilidad. Contenido y créditos iniciales, elaboración y remisión a Les Corts. Presupuestos consolidados. Tramitación y aprobación. Prórroga

1. De acuerdo con la Ley de Hacienda Pública, al ejercicio presupuestario se imputarán:

a) Los derechos liquidados durante el mismo que procedan del mismo ejercicio.

b) Las obligaciones económicas reconocidas hasta el fin del mes de diciembre siempre que correspondan a gastos realizados con adquisiciones, obras, servicios, prestaciones o, en general, gastos realizados dentro del ejercicio y con cargo a las respectivas dotaciones o créditos, sin perjuicio de la especialidad de los créditos previstos en el artículo 39 de la Ley 1/2015.

c) Los derechos liquidados durante el mismo, siempre que procedan del mismo ejercicio.

d) Las obligaciones reconocidas hasta el 15 de enero del ejercicio siguiente, siempre que correspondan a gastos realizados antes de la ultimación del ejercicio presupuestario y con cargo a los respectivos créditos.

2. La definición legal de presupuesto viene dada en la Ley de Hacienda Pública en su artículo:

a) 30.
b) 31.
c) 32.
d) 35.

3. Los Presupuestos de la Generalitat estarán integrados por:

a) Los presupuestos de los sujetos del sector público administrativo.

b) Los presupuestos de explotación y capital de las entidades del sector público empresarial y fundacional.

c) Los presupuestos de los fondos carentes de personalidad jurídica cuya dotación sea mayoritaria desde los presupuestos de la Generalitat.

d) Todas las respuestas anteriores son correctas.

4. La Ley de Estabilidad Presupuestaria y Sostenibilidad Financiera está regulada por la:

a) Ley 15/2006.
b) Ley Orgánica 2/2003.
c) Ley Orgánica 2/2012, de 27 de abril.
d) Ley 5/2005.

5. La clasificación orgánica de gastos se organiza en:

a) Secciones y servicios presupuestarios.
b) Por grupos.
c) Por capítulos, artículos y conceptos.
d) Por provincias, comarcas o municipios.

6. En el estado de gastos, la Sección 4 corresponde a/al/a la:

a) A Educación, Universidades y Empleo.
b) Al Servicio de la deuda.
c) Al Consell Jurídic Consultiu.
d) A la Sindicatura de Comptes.

7. En el estado de gastos, la Sección 11 corresponde a/al/a la:

a) Les Corts Valencianes.
b) Hacienda, Economía y Administración Pública.
c) Vicepresidencia Segunda y Conselleria de Servicios Sociales, Igualdad y Vivienda.
d) Innovación, Industria, Comercio y Turismo.

8. En el estado de gastos, la Sección 17 corresponde a/al/a la:

a) A la Academia Valenciana de la Lengua.
b) A Gastos diversos.
c) Al Servicio de la Deuda.
d) A la Vicepresidencia Segunda y Conselleria de Servicios Sociales, Igualdad y Vivienda.

9. En el estado de gastos, la Sección 16 corresponde a/al/a la:

a) A Hacienda y Economía.
b) A la Vicepresidencia Primera y Conselleria de Cultura y Deporte.
c) A la Vicepresidencia Segunda y Conselleria de Servicios Sociales, Igualdad y Vivienda.
d) A la Academia Valenciana de la Lengua.

10. En el estado de gastos, la Sección 2 corresponde a/al/a la:

a) A Sanidad.
b) Al Servicio de la deuda.
c) Al Consell Jurídic Consultiu.
d) A la Sindicatura de Comptes.

11. En el estado de gastos, la Sección 3 corresponde a/al/a la:

a) A Sanidad.
b) Al Consell Valenciá de Cultura.
c) Al Consell Jurídic Consultiu.
d) A la Sindicatura de Comptes.

12. En el estado de gastos, la Sección 20 corresponde a/al/a la:

a) Medio Ambiente, Agua, Infraestructuras y Territorio.
b) Justicia e Interior.
c) Gastos diversos.
d) Hacienda y Economía.

13. En el estado de gastos, la Sección 19 corresponde a/al/a la:

a) A Sanidad.
b) Al Servicio de la Deuda.
c) Al Consell Jurídic Consultiu.
d) A la Sindicatura de Comptes.

14. En el estado de gastos, la Sección 6 corresponde a/al/a la:

a) Justicia e Interior.
b) Hacienda y Economía.
c) Vicepresidencia Segunda y Conselleria de Servicios Sociales, Igualdad y Vivienda.
d) Innovación, Industria, Comercio y Turismo.

15. En el estado de gastos, el Grupo Funcional 4 corresponde a:

a) Producción de bienes públicos de carácter social.
b) Seguridad, protección y promoción social.
c) Producción de bienes públicos de carácter económico.
d) Regulación económica de sectores productivos.

En MADTEST tienes **más preguntas de este tema**, y todos tus avances quedan registrados y se reflejan en el ranking.

¡Supera tus límites con MADTEST!

Solución al test n.º 11

1. b) Las obligaciones económicas reconocidas hasta el fin del mes de diciembre siempre que correspondan a gastos realizados con adquisiciones, obras, servicios, prestaciones o, en general, gastos realizados dentro del ejercicio y con cargo a las respectivas dotaciones o créditos, sin perjuicio de la especialidad de los créditos previstos en el artículo 39 de la Ley 1/2015.

2. a) 30.

3. d) Todas las respuestas anteriores son correctas.

4. c) Ley Orgánica 2/2012, de 27 de abril.

5. a) Secciones y servicios presupuestarios.

6. c) Al Consell Jurídic Consultiu.

7. d) Innovación, Industria, Comercio y Turismo.

8. a) A la Academia Valenciana de la Lengua.

9. c) A la Vicepresidencia Segunda y Conselleria de Servicios Sociales, Igualdad y Vivienda.

10. d) A la Sindicatura de Comptes.

11. b) Al Consell Valenciá de Cultura.

12. c) Gastos diversos.

13. b) Al Servicio de la deuda.

14. b) Hacienda y Economía.

15. a) Producción de bienes públicos de carácter social.

TEST N.º 12

El presupuesto de la Generalitat (II). Procedimiento de gestión presupuestaria. Gestión presupuestaria. Pagos a justificar. Anticipos de Caja Fija. Operaciones de ejecución. Los créditos presupuestarios y sus modificaciones. Ley de Presupuestos de la Generalitat vigente: normas para la modificación de los presupuestos y competencias para su autorización. Carácter limitativo de los créditos. Procedimiento de gestión del presupuesto de la Generalitat

1. La norma vigente sobre estabilidad presupuestaria y sostenibilidad financiera es:

a) Ley 6/2025, de 30 de mayo.
b) Ley 1/2015, de 6 de febrero.
c) Ley Orgánica 2/2012, de 27 de abril.
d) Decreto 25/2017, de 24 de febrero.

2. Los acuerdos de no disponibilidad de créditos superiores al 20% del presupuesto consolidado deben comunicarse:

a) A la conselleria con competencias en materia de hacienda.
b) Al Consell.
c) A Les Corts.
d) Al Tribunal de Cuentas.

3. Los perceptores de órdenes de pago a justificar deberán rendir cuentas en un plazo de ___ meses, salvo expropiaciones, que tendrán ___ meses:

a) 6 / 3
b) 3 / 6
c) 2 / 4
d) 5 / 5

4. Señala la afirmación correcta:

a) Las órdenes de pago se pueden emitir sin justificación alguna.
b) Las cuentas rendidas deben ser aprobadas en un plazo de dos meses desde la justificación.
c) No se permite la delegación de facultades presupuestarias.
d) Los anticipos de caja fija no requieren justificación.

5. ¿Qué carácter tienen los fondos de los anticipos de caja fija?

a) Fondos privados.
b) Fondos de inversión.
c) Fondos extrapresupuestarios y permanentes.
d) Fondos temporales y reembolsables.

6. ¿Qué operación da comienzo a la ejecución del gasto presupuestario?

a) Ordenación del pago.
b) Reconocimiento de la obligación.
c) Compromiso del gasto.
d) Aprobación del gasto.

7. La cuantía global de estos fondos de caja fija será establecida por la secretaría autonómica competente en materia de tesorería, no pudiendo exceder del:

a) 7 por cien del total de los créditos iniciales del capítulo destinado a gastos corrientes en bienes y servicios de los presupuestos de gastos de cada conselleria u organismo autónomo.
b) 5 por cien del total de los créditos iniciales del capítulo destinado a gastos corrientes en bienes y servicios de los presupuestos de gastos de cada conselleria u organismo autónomo.
c) 7 por cien del total de los créditos iniciales del capítulo destinado a gastos de capital de los presupuestos de gastos de cada conselleria u organismo autónomo.
d) 5 por cien del total de los créditos iniciales del capítulo destinado a gastos de capital de los presupuestos de gastos de cada conselleria u organismo autónomo.

8. En la propuesta de anticipo de caja fija debe especificarse:

a) El importe global del fondo solicitado por conselleria u organismo autónomo.
b) La distribución de los fondos por cajas pagadoras.
c) El número de cajas pagadoras dentro de cada conselleria u organismo autónomo, y la existencia, en su caso, de subcajas.
d) Todas las respuestas anteriores son correctas.

9. El cierre del ejercicio presupuestario se regula mediante:

a) Decreto del Presidente de la Generalitat.
b) Orden de la Conselleria competente en hacienda.

c) Ley aprobada por Les Corts.
d) Reglamento del Parlamento.

10. Indica qué modificación presupuestaria no genera mayor gasto público:

a) Créditos extraordinarios.
b) Transferencias de crédito.
c) Ampliaciones de crédito.
d) Suplementos de crédito.

11. Cuando la necesidad de concesión de créditos extraordinarios o suplementos de crédito se produjese en los organismos autónomos u otras entidades con presupuesto limitativo de la Generalitat y ello significase un aumento en sus créditos, la concesión corresponderá a la persona titular de la Conselleria con competencias en materia de hacienda cuando su importe no exceda del:

a) 2% de los créditos consignados en sus presupuestos.
b) 3% de los créditos consignados en sus presupuestos.
c) 4% de los créditos consignados en sus presupuestos.
d) 5% de los créditos consignados en sus presupuestos.

12. ¿Qué tipo de compromisos no pueden cargarse a ejercicios futuros?

a) Contratos de obra.
b) Subvenciones nominativas.
c) Gastos de personal.
d) Arrendamientos financieros.

13. ¿Qué documento contable se utiliza para registrar un suplemento de crédito según el sistema NEFIS?

a) MC_Ingreso.
b) MC_Presu.
c) MC_Credi.
d) MC_Suple.

14. ¿Qué condición deben cumplir los créditos para ser ampliables según la Ley 6/2025?

a) Estar destinados exclusivamente a obra pública.
b) Estar relacionados expresamente en la ley anual de presupuestos.
c) Ser obligatorios según normativa estatal.
d) Superar el 10 % del total presupuestario.

15. El documento NEFIS utilizado para registrar una ampliación de crédito es:

a) MC_Gene.
b) MC_Transfe.
c) MC_Ampli.
d) MC_Incor.

En MADTEST tienes **más preguntas de este tema**, y todos tus avances quedan registrados y se reflejan en el ranking.

¡Supera tus límites con MADTEST!

Solución al test n.º 12

1. c) Ley Orgánica 2/2012, de 27 de abril.

2. c) A Les Corts.

3. b) 3 / 6

4. b) Las cuentas rendidas deben ser aprobadas en un plazo de dos meses desde la justificación.

5. c) Fondos extrapresupuestarios y permanentes.

6. d) Aprobación del gasto.

7. a) 7 por cien del total de los créditos iniciales del capítulo destinado a gastos corrientes en bienes y servicios de los presupuestos de gastos de cada conselleria u organismo autónomo.

8. d) Todas las respuestas anteriores son correctas.

9. b) Orden de la Conselleria competente en hacienda.

10. b) Transferencias de crédito.

11. d) 5% de los créditos consignados en sus presupuestos.

12. b) Subvenciones nominativas.

13. d) MC_Suple.

14. b) Estar relacionados expresamente en la ley anual de presupuestos.

15. c) MC_Ampli.

TEST N.º 13

El control interno de la gestión económico-financiera de la Generalitat efectuado por la Intervención General de la Generalitat: ámbito y objetivos, principios de actuación y prerrogativas, deberes y facultades del personal controlador, deber de colaboración y asistencia jurídica; planes anuales y elevación al Consell de informes generales. La función interventora. El control financiero. La auditoría pública. La supervisión continua. El control externo. El control del Tribunal de Cuentas: su función fiscalizadora, el enjuiciamiento contable y su relación con la Sindicatura de Comptes

1. El control financiero permanente se define en el artículo:

a) 106 de la Ley 1/2015.
b) 60 de la Ley 1/2015.
c) 108 de la Ley 1/2015.
d) 123 de la Ley 1/2015.

2. El Estatuto de Autonomía Valenciano reconoce la existencia de la Cámara de Cuentas en el artículo:

a) 29.
b) 39.
c) 49.
d) 59.

3. De acuerdo con lo dispuesto en la Ley 1/2015, la persona titular de la conselleria con competencias en materia de hacienda rendirá cuentas a la comisión correspondiente en materia de Hacienda de les Corts, el estado de ejecución del presupuesto de los organismos autónomos con carácter:

a) Semestral.
b) Mensual.

c) Trimestral.
d) Cuatrimestral.

4. De acuerdo con lo dispuesto en la Ley 1/2015, la persona titular de la conselleria con competencias en materia de hacienda rendirá cuentas a la comisión correspondiente en materia de Hacienda de les Corts del grado de ejecución del programa de inversiones de la Generalitat con carácter:

a) Semestral.
b) Mensual.
c) Trimestral.
d) Cuatrimestral.

5. De acuerdo con lo dispuesto en la Ley 1/2015, la persona titular de la conselleria con competencias en materia de hacienda rendirá cuentas a la comisión correspondiente en materia de Hacienda de les Corts de la distribución de la participación de las entidades locales en los ingresos generales del Estado con carácter:

a) Bimensual.
b) Anual.
c) Trimestral.
d) 15 días.

6. La liquidación del presupuesto del ejercicio anterior, de los remanentes de créditos que, procedentes del ejercicio liquidado, se incorporan al ejercicio corriente con carácter:

a) Bimensual.
b) Anual.
c) Trimestral.
d) 15 días.

7. La Cuenta General de la Generalitat Valenciana contendrá:

a) La Cuenta de la Administración de la Generalitat Valenciana.
b) Las cuentas rendidas por el resto de sujetos integrados en el sector público administrativo de la Generalitat.
c) Las cuentas rendidas por los sujetos integrados en el sector público empresarial y fundacional.
d) Todas las respuestas anteriores son correctas.

8. Para la fiscalización de las cuentas generales de la Generalitat, estas deberán ser presentadas, por la conselleria competente en materia de hacienda ante la Sindicatura de Comptes para su examen y fiscalización:

a) El 30 de junio del año siguiente al del ejercicio económico al que correspondan.
b) El 30 de mayo del año siguiente al del ejercicio económico al que correspondan.

c) El 30 de junio del mismo año al del ejercicio económico al que correspondan.

d) El 31 de julio del año siguiente al del ejercicio económico al que correspondan.

9. El Cuerpo Superior de Interventores/Auditores de la Generalitat se crea por:

a) Decreto 90/2001, de 22 de mayo.

b) Decreto 72/2005, de 8 de abril.

c) Decreto de 5 de octubre de 1981.

d) Decreto Legislativo de 26 de junio de 1991, de la Hacienda Pública de la Generalitat Valenciana.

10. Conforme con lo dispuesto en el artículo 96 de la Ley 1/2015, la Intervención General de la Generalitat elaborara los siguientes planes anuales en los que se incluirán las actuaciones a realizar durante el correspondiente ejercicio y su alcance:

a) Plan anual de control financiero permanente.

b) Plan anual de auditorías del sector público.

c) Plan anual de supervisión continua.

d) Todas las respuestas anteriores son correctas.

11. El control de gestión económica-financiera tiene como objetivos:

a) Verificar el cumplimiento de la normativa que resulte de aplicación a la gestión objeto de control.

b) Verificar el adecuado registro y contabilización de las operaciones realizadas, y su fiel y regular reflejo en las cuentas y estados que, conforme a las disposiciones aplicables, deba formar cada órgano o entidad.

c) Evaluar que la actividad y los procedimientos objeto de control se realizan de acuerdo con los principios de buena gestión financiera y, en especial, con los previstos en la Ley General de Estabilidad Presupuestaria.

d) Todas las respuestas anteriores son correctas.

12. El control financiero permanente se ejercerá sobre:

a) La Administración de la Generalitat.

b) Los organismos autónomos de la Generalitat.

c) Las entidades públicas empresariales.

d) Todas las respuestas anteriores son correctas.

13. ¿Con qué regularidad se elaborará un informe comprensivo de los resultados de las actuaciones de control financiero permanente realizadas durante el ejercicio?

a) Semestralmente.

b) Anualmente.

c) Bianualmente.
d) Trimestralmente.

14. El plan de acción se elaborará desde que el titular del departamento reciba el informe anual de control financiero permanente en el plazo de:

a) 2 meses.
b) 3 meses.
c) 6 meses.
d) 9 meses.

15. En ejercicio del CFP, sobre las cuentas justificativas rendidas, contabilizadas y seleccionadas para CFP se efectuará como comprobación:

a) Que el crédito era adecuado y suficiente a la naturaleza del gasto u obligación que se ha contraído.
b) Que se corresponde con gastos no sujetos a intervención previa y susceptibles de ser satisfechos mediante anticipos de caja fija.
c) Que se acredite la realización efectiva y conforme de los gastos o servicios, así como la conformidad con la factura o documento justificativo.
d) Todas las respuestas anteriores son correctas.

En MADTEST tienes **más preguntas de este tema**, y todos tus avances quedan registrados y se reflejan en el ranking.

¡Supera tus límites con MADTEST!

Solución al test n.º 13

1. c) 108 de la Ley 1/2015.

2. b) 39.

3. b) Mensual.

4. c) Trimestral.

5. b) Anual.

6. d) 15 días.

7. d) Todas las respuestas anteriores son correctas.

8. a) El 30 de junio del año siguiente al del ejercicio económico al que correspondan.

9. b) Decreto 72/2005, de 8 de abril.

10. d) Todas las respuestas anteriores son correctas.

11. d) Todas las respuestas anteriores son correctas.

12. d) Todas las respuestas anteriores son correctas.

13. b) Anualmente.

14. b) 3 meses.

15. d) Todas las respuestas anteriores son correctas.

TEST N.º 14

Ley 1/2015, de 6 de febrero, de Hacienda Pública, del Sector Público Instrumental y de Subvenciones: Título VII, Contabilidad del sector público de la Generalitat

1. El compromiso del gasto se define como:

a) El acto por el cual se aprueba la realización de un gasto por cuantía cierta o aproximada, reservándose, a tal fin, la totalidad o una parte de un crédito presupuestario.

b) El acto mediante el cual se acuerda, previos los trámites legales procedentes, la realización de gastos previamente aprobados, por un importe determinado o determinable.

c) El acto mediante el que se declara la existencia de un crédito exigible contra la Hacienda Pública de la Generalitat derivado de un gasto aprobado y dispuesto y que comporta la propuesta de pago correspondiente.

d) La operación por la que, a fin de dar cumplimiento a una obligación reconocida, el órgano gestor de un gasto propone al órgano competente que ordene el pago consecuente para su cancelación.

2. El reconocimiento de la obligación se define como:

a) El acto por el cual se aprueba la realización de un gasto por cuantía cierta o aproximada, reservándose, a tal fin, la totalidad o una parte de un crédito presupuestario.

b) El acto mediante el cual se acuerda, previos los trámites legales procedentes, la realización de gastos previamente aprobados, por un importe determinado o determinable.

c) El acto mediante el que se declara la existencia de un crédito exigible contra la Hacienda Pública de la Generalitat derivado de un gasto aprobado y dispuesto y que comporta la propuesta de pago correspondiente.

d) La operación por la que, a fin de dar cumplimiento a una obligación reconocida, el órgano gestor de un gasto propone al órgano competente que ordene el pago consecuente para su cancelación.

3. Las obligaciones de la Hacienda Pública de la Generalitat se extinguen:

a) Por el pago.
b) Por la compensación.

c) Por prescripción.
d) Todas las respuestas anteriores son correctas.

4. Los perceptores de las órdenes de pago a justificar serán responsables de la custodia y uso de los fondos y de la rendición de la cuenta, debiendo justificar la aplicación de las cantidades recibidas en el plazo de:

a) 1 mes.
b) 2 meses.
c) 3 meses.
d) 4 meses.

5. El sistema de operatoria contable vigente se denomina:

a) HELIOS.
b) IBIS.
c) NEFIS.
d) APIS.

6. Son documentos contables que no serán objeto de contabilización por las intervenciones delegadas, ni pasarán previamente por el estado preliminar:

a) Retenciones de crédito cuya contabilización corresponda a la oficina de gestión competente para la ejecución del presupuesto de gasto, a excepción de las retenciones que se tramiten en el subsistema de anticipos de caja fija.
b) Los documentos de las modificaciones presupuestarias cuya contabilización corresponderá al órgano competente en materia de presupuestos.
c) Los documentos propios de tesorería que corresponderán a la tesorería de la Administración o a la de las entidades.
d) Todas las respuestas anteriores son correctas.

7. La aprobación o reparo de la cuenta rendida por la autoridad competente procederá en el transcurso de:

a) El mes siguiente a la fecha de aportación de las documentaciones justificativas.
b) Los dos meses siguientes a la fecha de aportación de las documentaciones justificativas.
c) Los tres meses siguientes a la fecha de aportación de las documentaciones justificativas.
d) Los seis meses siguientes a la fecha de aportación de las documentaciones justificativas.

8. Los documentos contables que intervienen en la ordenación del gasto y del pago en la Generalitat Valenciana se regulan por:

a) La Orden de la Conselleria de Economía y Hacienda, de 12 de diciembre de 1994, sobre Gestión y Registro contable de la administración y ejecución del presupuesto de la Generalitat Valenciana.

b) La Orden de la Conselleria de Economía y Hacienda, de 2 de marzo de 2004, sobre Gestión y Registro contable de la administración y ejecución del presupuesto de la Generalitat Valenciana.

c) La Orden de la Conselleria de Economía y Hacienda, de 17 de junio de 2012, sobre Gestión y Registro contable de la administración y ejecución del presupuesto de la Generalitat Valenciana.

d) La Orden de 28 de diciembre de 2023, por la que se aprueba la Instrucción Operatoria Contable de la Generalitat Valenciana.

9. El documento contable que refleja un crédito extraordinario es:

a) MC.A.
b) MC_CREDI.
c) MC_EXTRA.
d) MC.E.

10. El documento contable que refleja un suplemento de crédito es:

a) MC.SUPLE
b) MC.S.
c) MC.SC.
d) MC_SUPLE.

11. El documento contable que refleja una incorporación de remanente de crédito es:

a) MC.IC.
b) MC_IC.
c) MC_INCOR.
d) MC.INCRED.

12. El documento contable que refleja un crédito generado por ingresos es:

a) MC.GC.
b) MC_GENE.
c) MC.GENERCRED.
d) MCIng_GC.

13. El documento contable que refleja la reorganización de proyectos artículo 17 es:

a) MC.RO.
b) MC_RP17.
c) MC.RP17.
d) MC_PROYE.

14. Los ajustes se documentan como:

a) RTP.
b) AJUSTE.
c) MC_AJUSTE.
d) MC.AJU.

15. El traspaso de crédito se documenta como:

a) MC_TC.
b) MC_RT.
c) T_CREDI.
d) TC.M.

En MADTEST tienes **más preguntas de este tema**, y todos tus avances quedan registrados y se reflejan en el ranking.

¡Supera tus límites con MADTEST!

Solución al test n.º 14

1. b) El acto mediante el cual se acuerda, previos los trámites legales procedentes, la realización de gastos previamente autorizados, por un importe determinado o determinable.

2. c) El acto mediante el que se declara la existencia de un crédito exigible contra la Hacienda Pública de la Generalitat derivado de un gasto aprobado y dispuesto y que comporta la propuesta de pago correspondiente.

3. d) Todas las respuestas anteriores son correctas.

4. c) 3 meses.

5. c) NEFIS.

6. d) Todas las respuestas anteriores son correctas.

7. b) Los dos meses siguientes a la fecha de aportación de las documentaciones justificativas.

8. d) La Orden de 28 de diciembre de 2023, por la que se aprueba la Instrucción Operatoria Contable de la Generalitat Valenciana.

9. b) MC_CREDI.

10. d) MC_SUPLE.

11. c) MC_INCOR.

12. b) MC_GENE

13. d) MC_PROYE

14. a) RTP.

15. c) T_CREDI

IV. Informática Básica y Ofimática

Informática básica: Conceptos fundamentales sobre el hardware y el software. Sistemas de almacenamiento de datos. Tipos de conectividad. Sistemas operativos. Nociones básicas de seguridad informática

1. Indica cuál de los siguientes elementos se considera Hardware Básico:

a) CPU.
b) Tarjeta Wifi.
c) DVD.
d) Ninguna de las anteriores.

2. ¿Cuál de los siguientes elementos se puede considerar como Dispositivo de Entrada/Salida bidireccional?

a) Monitor.
b) Tarjeta de red.
c) Teclado.
d) Impresora.

3. Completar la frase. Los datos .... se obtienen del procesador, tras el procesamiento de los datos de entrada:

a) Salida.
b) Finales.
c) Intermedios.
d) Interiores.

4. El principio en relación a los datos e información en un sistema que indica que todos los datos necesarios para generar la información estén disponibles se denomina:

a) Integridad.
b) Encriptación.

c) Unidad.
d) Ninguna de las anteriores.

5. El CD óptico tiene una capacidad de almacenamiento aproximada de:

a) 4 GB.
b) 1 TB.
c) 4.7 GB.
d) 700 MB.

6. La diferencia fundamental entre un disco duro tradicional y un SSD estriba en que:

a) El SSD es más rápido.
b) El SSD no dispone de cabezales.
c) El disco duro dispone de mayor capacidad de almacenamiento en relación al coste del dispositivo.
d) Todas son correctas.

7. ¿El formato de archivos ext2 es típico de que Sistema Operativo?:

a) Windows.
b) Linux.
c) Mac.
d) Ninguna es correcta.

8. ¿Qué unidad de almacenamiento de datos es mayor?

a) TeraByte.
b) KiloByte.
c) MegaByte.
d) GigaByte.

9. ¿Cuál de los siguientes elementos NO es un periférico?

a) Teclado.
b) Ratón.
c) Monitor.
d) Memoria RAM.

10. El tipo de ordenador específicamente diseñado para funcionar 24 horas durante los 7 días de la semana se denomina:

a) Portátil.
b) Servidor.

c) PC.
d) Ninguna de las anteriores.

11. La tecnología de CPU consistente en usar instrucciones simples se denomina:

a) RISC.
b) CISC.
c) DISK.
d) TISK.

12. ¿Qué tipo de memoria se utiliza para albergar la BIOS de un ordenador?

a) RAM.
b) SSD.
c) ROM.
d) Flash.

13. Si la imagen de un monitor muestra colores muy difusos es posible que el problema que tenga es que:

a) Esté imantado.
b) La frecuencia de refresco no es correcta.
c) La resolución no es adecuada.
d) Ninguna de las anteriores.

14. Un signo de que el idioma seleccionado en Windows no es castellano puede ser:

a) Mala resolución de la imagen.
b) Parpadeo de la pantalla.
c) Los caracteres de las teclas no coinciden con el que indican.
d) Ninguna de las anteriores.

15. Los controladores de los dispositivos están englobados dentro de ¿Qué tipo de software?

a) De aplicación.
b) De Sistema.
c) De Programación.
d) Ninguna de las anteriores.

En MADTEST tienes **más preguntas de este tema**, y todos tus avances quedan registrados y se reflejan en el ranking.

¡Supera tus límites con MADTEST!

Solución al test n.º 15

1. a) CPU.

2. b) Tarjeta de red.

3. c) Intermedios.

4. a) Integridad.

5. d) 700 MB.

6. d) Todas son correctas.

7. b) Linux.

8. a) TeraByte.

9. d) Memoria RAM.

10. b) Servidor.

11. a) RISC.

12. c) ROM.

13. a) Esté imantado.

14. c) Los caracteres de las teclas no coinciden con el que indican.

15. b) De Sistema.

Introducción al sistema operativo: El entorno Windows 11. Fundamentos. Trabajo en el entorno gráfico de Windows: ventanas, iconos, menús contextuales, cuadros de diálogo. El escritorio y sus elementos. El menú inicio y la barra de tareas. Herramientas básicas (calculadora, bloc de notas y herramientas recortes)

1. ¿Qué sucede si pulsamos Alt + F4 cuando tenemos el escritorio activo y ninguna ventana seleccionada?

a) Se abre el menú de accesibilidad.
b) Se reinicia el equipo.
c) Se apaga directamente.
d) Se abre el diálogo para apagar o reiniciar el sistema.

2. En Windows 11 queremos refrescar el contenido de la ventana activa. ¿Qué tecla o teclas de acceso rápido utilizaremos?

a) F5.
b) Ctr + X.
c) Alt + F4.
d) Ctrl + Alt + Tab.

3. ¿Cuál de los siguientes son todos modos de captura de la herramienta Recortes?

a) Forma Libre, rectangular y circular.
b) Forma Libre, ventana y línea.
c) Forma Libre, circular y ventana.
d) Forma Libre, rectangular y ventana.

4. ¿Cuál de los siguientes es un tipo de imagen que se puede abrir con Paint?

a) TIG.
b) JPEG.

c) TIF2.
d) ICA.

5. En Windows 11 queremos ver alguna información sobre el computador, como el nombre del PC, la edición de Windows instalada, o la cantidad de RAM instalada. Dentro de la configuración sistema, ¿qué opción elegiremos?

a) Aplicaciones y Características.
b) Almacenamiento.
c) Acerca de…
d) Notificaciones y Acciones.

6. Los dispositivos que se conectan mediante las entradas que permiten los conectores USB, necesitan, antes de retirarlos del equipo, cerrar todos los procesos que tienen acceso a sus archivos. Para la extracción segura de dispositivos USB se usa la función de:

a) Extracción segura.
b) Extracción USB.
c) Desconexión segura.
d) Desconexión USB.

7. En Windows 11 tenemos una aplicación muy sencilla de configurar que tiene por gran virtud simplificar el trabajo con el escáner físico tradicional, ya que permite escanear y enviar imágenes de documentos a otro fax o a una dirección de correo electrónico. ¿Cuál es su nombre?

a) Impresoras y escáneres.
b) Windows Fax.
c) Windows Scanner.
d) Fax y Escáner.

8. ¿Por qué cantidad de bits está formado un byte?

a) Por 16.
b) Por 8.
c) Por 2.
d) Por 32.

9. ¿Cuál de las siguientes funciones no se encuentra al hacer clic derecho sobre el escritorio?

a) Configurar pantalla.
b) Personalizar iconos del sistema.

c) Ordenar iconos por nombre.
d) Cambiar la fuente del sistema.

10. ¿Qué elemento del escritorio permite acceder a las aplicaciones ancladas y abiertas?

a) Menú Inicio.
b) Escritorio.
c) Barra de tareas.
d) Explorador de archivos.

11. ¿Qué acción realizamos al pulsar la combinación de teclas Windows + D?

a) Se abre el Explorador de archivos.
b) Se minimizan todas las ventanas para mostrar el escritorio.
c) Se abre el menú de configuración rápida.
d) Se activa el modo avión.

12. ¿Cuál de las siguientes aplicaciones sí forma parte del grupo de aplicaciones básicas en Windows 11?

a) Excel.
b) Bloc de notas.
c) Power BI.
d) Edge Dev.

13. ¿Qué permite la nueva barra de herramientas del Bloc de notas cuando trabajamos con archivos .md?

a) Insertar tablas de Excel.
b) Añadir enlaces y texto con formato.
c) Cambiar el nombre del archivo.
d) Cifrar el contenido del documento.

14. ¿Qué opción de la calculadora permite saber cuántos días hay entre dos fechas?

a) Modo programador.
b) Modo conversión.
c) Cálculo de fechas.
d) Cálculo financiero.

15. ¿Qué elemento de la interfaz de Windows 11 permite anclar aplicaciones y consultar las más utilizadas o recientes?

a) Barra de tareas.
b) Menú Inicio.
c) Escritorio.
d) Centro de notificaciones.

En MADTEST tienes **más preguntas de este tema** y todos tus avances quedan registrados y se reflejan en el ranking.

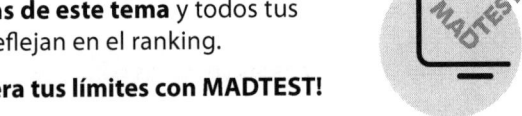

¡Supera tus límites con MADTEST!

Solución al test n.º 16

1. d) Se abre el diálogo para apagar o reiniciar el sistema.

2. a) F5.

3. d) Forma Libre, rectangular y ventana.

4. b) JPEG.

5. c) Acerca de…

6. c) Desconexión segura.

7. d) Fax y Escáner.

8. b) Por 8.

9. d) Cambiar la fuente del sistema.

10. c) Barra de tareas.

11. b) Se minimizan todas las ventanas para mostrar el escritorio.

12. b) Bloc de notas.

13. b) Añadir enlaces y texto con formato.

14. c) Cálculo de fechas.

15. b) Menú Inicio.

TEST N.º 17

El Explorador de archivos de Windows 11. Gestión de carpetas y archivos. Operaciones de búsqueda. Carpetas locales y carpetas de red. Accesos directos. Carpeta de descarga de archivos. Microsoft OneDrive

1. ¿Cuál de las siguientes opciones no es un permiso de usuario autentificado en una carpeta de Windows 11?

a) Lectura y escritura.
b) Lectura y ejecución.
c) Mostrar el contenido de la carpeta.
d) Modificar.

2. ¿Cuál es la combinación de teclas que hace que se abra una nueva ventana en el explorador de archivos?

a) Ctrl + N.
b) Ctrl + F.
c) Alt + N.
d) Alt + F.

3. ¿Cuál es la acción que realiza en el explorador de archivos la combinación de teclas Alt + Flecha arriba?

a) Ver la carpeta siguiente.
b) Ver la carpeta que contenía la carpeta seleccionada.
c) Ver la carpeta anterior.
d) Abrir el cuadro de diálogo Propiedades del elemento seleccionado.

4. En la frase: "Es posible que hayamos empezado a cortar un archivo y cambiemos de opinión y no queramos moverlo. No pasa nada, pulsamos la tecla _____ para indicar que no vamos a continuar". ¿A qué tecla se refiere?

a) Esc.
b) Tab.
c) Ctrl.
d) Alt + Shift.

5. ¿A cuánto equivalen 762 Kb?

a) 780.831 bits.
b) 780.831 Kbytes.
c) 780.831 Mbytes.
d) 780.831 bytes.

6. ¿Cuál es la combinación de teclas que hace que se seleccione la barra de direcciones en el explorador de archivos?

a) Ctrl + D.
b) Ctrl + F.
c) Alt + D.
d) Alt + E.

7. ¿Por qué cantidad de bits está formado un byte?

a) Por 16.
b) Por 8.
c) Por 2.
d) Por 32.

8. ¿Cuál de los siguientes símbolos no pueden usarse en el nombre de un archivo de Windows?

a) \ ?
b) @ ?
c) < $
d) < > &

9. ¿Qué combinación de teclas me permite volver a las carpetas anteriores en el historial del Explorador de archivos de Windows?

a) Alt + Flecha izquierda.
b) Ctrl + S.
c) Windows ⊞ + U.
d) Ctrl + Flecha izquierda.

10. En la opción "Este Equipo" del explorador de Windows, además de las carpetas por defecto, encontraré información de:

a) Conexiones de Red.
b) Unidades de disco.
c) Nuevos Elementos.
d) Carpetas favoritas.

11. En el Explorador de Windows 11:

a) Hay Cinta de Opciones, Caja de direcciones y panel de navegación.
b) Hay Cinta de Opciones, Caja de Búsqueda y panel de direcciones.
c) Hay Cinta de Opciones, Caja de navegación y panel de búsqueda.
d) Hay Cinta de Opciones, Caja de Búsqueda y panel de navegación.

12. Al realizar una búsqueda avanzada desde el explorador de Windows 11, en el tamaño, cual no es una opción correcta:

a) Minúsculo.
b) Mediano.
c) Muy grande.
d) Gigantesco.

13. Al realizar una búsqueda avanzada desde el explorador de Windows 11, en la fecha de modificación, cual no es una opción correcta:

a) El mes pasado.
b) Este año.
c) Mes actual.
d) El año pasado.

14. ¿Cuál de las siguientes opciones no es operador booleano valido para buscar desde el explorador de Windows 11?

a) AND.
b) OR.
c) NOT.
d) NOR.

15. Para seleccionar varios elementos alternativos:

a) Mantenemos pulsada la tecla Shift y hacemos clic sobre los elementos.
b) Hacemos clic en el primero de los elementos y mantenemos pulsada la tecla Shift y hacemos clic sobre el último de los elementos.
c) Mantenemos pulsada la tecla Ctrl y hacemos clic sobre los elementos.
d) Hacemos clic en el primero de los elementos y mantenemos pulsada la tecla Ctrl y hacemos clic sobre el último de los elementos.

En MADTEST tienes **más preguntas de este tema** y todos tus avances quedan registrados y se reflejan en el ranking.

¡Supera tus límites con MADTEST!

Solución al test n.º 17

1. a) Lectura y escritura.

2. a) Ctrl + N.

3. b) Ver la carpeta que contenía la carpeta seleccionada.

4. a) Esc.

5. d) 780.831 bytes.

6. c) Alt + D.

7. b) Por 8.

8. a) \ ?

9. a) Alt + Flecha izquierda.

10. b) Unidades de disco.

11. d) Hay Cinta de Opciones, Caja de Búsqueda y panel de navegación.

12. c) Muy grande.

13. c) Mes actual.

14. d) NOR.

15. d) Hacemos clic en el primero de los elementos y mantenemos pulsada la tecla Ctrl y hacemos clic sobre el último de los elementos.

Correo electrónico Outlook de Microsoft 365: Conceptos elementales y funcionamiento. El entorno de trabajo. Redactar, enviar, recibir, responder y reenviar mensajes. Búsqueda de mensajes. Reglas de recepción de mensajes. Libretas de direcciones. Carpetas de trabajo. Calendario de trabajo

1. La pestaña de ENVIAR y RECIBIR, solo aparece visible en el Outlook 365:

a) Cuando estamos redactando un correo nuevo.
b) Cuando estamos dentro de la opción de correo.
c) Cuando tenemos marcado un correo de la bandeja de salida.
d) Ninguna es correcta.

2. Los mensajes no leídos en el Outlook 365:

a) Aparecen en fondo azul.
b) Tienen una banderita de color rojo.
c) Aparece un sobre abierto en azul.
d) Ninguna es correcta.

3. Al usar la opción de RESPONDER a TODOS en el Outlook 365:

a) No podemos usar el CCO.
b) Solo podemos usar el PARA y el CCO.
c) Podemos usar PARA, CC y CCO.
d) Ninguna es correcta.

4. ¿Cuál de las siguientes combinaciones de teclas es la que está asociada a "Responder"?

a) Ctrl + R
b) Ctrl + Mayuús+ R
c) Ctrl + F
d) Ctrl + U

5. En Outlook 365, ¿cuál es la nomenclatura correcta para el objeto usado para enviar un correo a varias personas?

a) Lista de usuarios.
b) Grupo de usuarios.
c) Grupo de contactos.
d) Lista de contactos.

6. ¿Cuál de las siguientes combinaciones de teclas es la que está asociada a "Reenviar" en el Outlook 365?

a) Ctrl + R
b) Ctrl + Mayús+ R
c) Ctrl + F
d) Ctrl + U

7. Sobre el correo electrónico indica cuál de las siguientes afirmaciones es falsa:

a) En el envío y recepción de un correo electrónico no es necesario que el emisor y receptor se encuentren conectados simultáneamente.
b) Entre otros, algunos de los protocolos que intervienen en la emisión y recepción son MIME, SMTP y POP3.
c) El uso de un cliente de correo tipo webmail requiere tener instalado el protocolo POP3 en el equipo local donde se utilice ese cliente web mail.
d) Existen herramientas que inspeccionan los correos electrónicos recibidos e intentan determinar si se trata de un correo basura o spam.

8. En Outlook 365 de forma predeterminada en la característica de correo, ¿en qué pestaña y grupo de comandos se encuentra el comando nuevo mensaje de correo electrónico?

a) Pestaña enviar y recibir y grupo enviar.
b) Pestaña inicio y grupo enviar y recibir.
c) Pestaña enviar y recibir y grupo nuevo.
d) Pestaña inicio y grupo nuevo.

9. En Outlook 365, sobre el envío respuesta y reenvío, ¿cuál de las siguientes afirmaciones es falsa?

a) Al responder a un mensaje se agrega el prefijo RE: a la línea del asunto.
b) Al responder a un mensaje los datos adjuntos al mensaje original se incluyen en la respuesta.

c) Al reenviar un mensaje se agrega el prefijo RV: a la línea de asunto.

d) Varios mensajes de correo electrónico se pueden reenviar como una colección en un solo mensaje.

10. En Outlook 365 de forma predeterminada en la característica de correo, ¿en qué pestaña y grupo de comandos se encuentra el comando Responder?

a) Pestaña Enviar y recibir y grupo Responder.
b) Pestaña Inicio y grupo Enviar y recibir.
c) Pestaña Enviar y recibir y Grupo Correo.
d) Pestaña Inicio y grupo Responder.

11. La parte de la izquierda de una dirección de correo electrónico en la versión Outlook 365 se denomina:

a) Dominio.
b) Organización.
c) Dominio de organización.
d) Nombre de Usuario.

12. Di cuál es una dirección de correo válida en el Outlook 365:

a) persona@proveedorcom
b)
c) persona.proveedor.com
d) cta@cts.es

13. ¿Cuál de las siguientes combinaciones de teclas es la que está asociada a "Responder a todos"?

a) Ctrl + R
b) Ctrl + Mayús+ R
c) Ctrl + F
d) Ctrl + U

14. Los clientes de correo POP:

a) Tienen que estar conectados todo el tiempo.
b) Los mensajes se descargan de golpe si están disponibles.
c) Los mensajes se descargan parcialmente aun sin estar disponibles.
d) Tienen que estar conectados a intervalos de 15'.

15. ¿Qué es un Hoax?

a) Un Bulo o Noticia falsa.
b) Suplantación de identidad.
c) Un virus.
d) Un error de configuración en el navegador.

En MADTEST tienes **más preguntas de este tema** y todos tus avances quedan registrados y se reflejan en el ranking.

¡Supera tus límites con MADTEST!

Solución al test n.º 18

1. b) Cuando estamos dentro de la opción de correo.

2. d) Ninguna es correcta.

3. c) Podemos usar PARA, CC y CCO.

4. a) Ctrl + R

5. c) Grupo de contactos.

6. c) Ctrl + F

7. c) El uso de un cliente de correo tipo webmail requiere tener instalado el protocolo POP3 en el equipo local donde se utilice ese cliente web mail.

8. d) Pestaña inicio y grupo nuevo.

9. b) Al responder a un mensaje los datos adjuntos al mensaje original se incluyen en la respuesta.

10. d) Pestaña Inicio y grupo Responder.

11. d) Nombre de Usuario.

12. d) cta@cts.es

13. b) Ctrl + Mayús+ R

14. b) Los mensajes se descargan de golpe si están disponibles.

15. a) Un Bulo o Noticia falsa.

Procesador de texto Word de Microsoft 365: Principales funciones y utilidades. Creación, estructuración y maquetación de documentos. Generación, grabación, recuperación e impresión de documentos. Importación y exportación de formatos. Dictado. Revisión de documentos

1. ¿Cuál es la combinación de teclas en Word 365 que sirve para moverse una celda a la izquierda de la actual?

a) Alt + Tab.
b) Flecha izquierda.
c) Tab.
d) Mayús + Tab.

2. ¿Cuál de las siguientes afirmaciones es correcta en Word 365?

a) El botón Combinar celdas solo estará activo si hay más de una celda seleccionada en la tabla.
b) El botón Combinar celdas solo estará activo si hay una celda seleccionada en la tabla.
c) El botón Combinar celdas solo estará activo si hay menos de cinco celdas seleccionadas en la tabla.
d) El botón Combinar celdas solo estará activo si hay más de tres celdas seleccionada en la tabla.

3. ¿Cuál de los siguientes valores es un tipo correcto para usar en una columna de Word 365?

a) Párrafo.
b) Fecha/Hora.
c) Número.
d) Booleano.

4. ¿Cuántas opciones de cambio de dirección de texto tenemos en Word 365?

a) 2.
b) 4.

c) 5.

d) 3.

5. Si tenemos el siguiente texto "CARLOS,TOJEIRO,ALCALÁ,20,47 €,CALLE REAL 25,15002,A CORUÑA" y usamos la utilidad de convertir texto en tabla, con separador de ",", ¿cuántas columnas y filas nos ofrecerá por defecto?

a) 8 columnas y 1 fila.

b) 1 columna y 8 filas.

c) 7 columnas y 1 fila.

d) 1 columna y 7 filas.

6. La combinación de teclas que crea un salto de línea manual es:

a) Control + Enter

b) Mayúsculas + Enter

c) Alt + Enter

d) Control + Alt + Enter

7. ¿Cuál de las siguientes es un ajuste válido del texto con respecto a una tabla en Word 365?

a) Alrededor.

b) Estrecho.

c) En línea con el texto.

d) Cuadrado.

8. ¿Cuántos tipos de tabulaciones, y de rellenos en ellas, hay en Word 365?

a) 4 y 4.

b) 4 y 3.

c) 5 y 4.

d) 5 y 3.

9. ¿Cuál de las siguientes opciones se corresponde con los saltos de sección correctos en Word 365?

a) Página Continua, De Página par, Página impar.

b) Página Siguiente, Columna, Página par, Página impar.

c) Página Siguiente, Continua, Página par, Página impar.

d) Página Siguiente, Continua, Columna, Ajuste de texto.

10. Indica cuál no es una opción válida de los tipos de efectos de texto en Word 365?

a) Tachado.

b) Cursiva.

c) Relieve.

d) Sombra.

11. En Word 365 hay varios tipos de SmartArt, ¿cuál de los indicados a continuación no es uno de ellos?

a) Ciclo.
b) Círculo.
c) Matriz.
d) Pirámide.

12. En Word 365, cuando insertamos una tabla, ¿cuál de las siguientes opciones no es un valor del autoajuste correcta?

a) Ancho de columna fijo.
b) Autoajustar al contenido.
c) Ancho de columna automático.
d) Autoajustar a la ventana.

13. La carta modelo en un proceso de combinar correspondencia de Word:

a) Tendrá la tabla de datos para combinar.
b) No tendrá los campos de combinación.
c) Incluirá el texto que no varía.
d) Tendrá tantas hojas como datos se combinen.

14. El método más rápido para acceder a las opciones de la cinta de opciones de Word 365 es hacer un clic con el ratón sobre ellas; si queremos acceder a las distintas opciones de los paneles y menús a partir del teclado, podemos pulsar la tecla:

a) F1.
b) Shift.
c) Ctrl.
d) Alt.

15. La combinación de teclas para la alineación centrada es:

a) Ctrl + T
b) Ctrl + Q
c) Ctrl + J
d) Ctrl + Alt + C

En MADTEST tienes **más preguntas de este tema** y todos tus avances quedan registrados y se reflejan en el ranking.

¡Supera tus límites con MADTEST!

Solución al test n.º 19

1. d) Mayús + Tab.

2. a) El botón Combinar celdas solo estará activo si hay más de una celda seleccionada en la tabla.

3. c) Número.

4. d) 3.

5. a) 8 columnas y 1 fila.

6. b) Mayúsculas + Enter

7. a) Alrededor.

8. c) 5 y 4.

9. c) Página Siguiente, Continua, Página par, Página impar.

10. b) Cursiva.

11. b) Círculo.

12. c) Ancho de columna automático.

13. c) Incluirá el texto que no varía.

14. d) Alt.

15. a) Ctrl + T

Hojas de cálculo Excel de Microsoft 365: Principales funciones y utilidades. Libros, hojas y celdas. Configuración. Introducción y edición de datos. Fórmulas y funciones. Gráficos. Gestión de datos. Importación de datos

1. Las funciones de Excel 365 son:

a) Fórmulas predefinidas.
b) Cálculos predefinidos.
c) Argumentos predefinidos.
d) Macros.

2. La función =SUMA(A1 ; A8 ; A10)

a) Suma todas las celdas desde la A1 a la A8 y además la A10.
b) Suma todas las celdas desde la A1 a la A10 menos la A8.
c) Suma todas las celdas desde la A1 a la A8 y el resultado lo coloca en la A10.
d) Suma las celdas A1, A8 y la A10.

3. La función =SUMA(A1 ; 3 ; A8)

a) Suma 3 veces la celda A1 y la A8.
b) Suma la celda A1 y 3 veces la celda A8.
c) No es una formula correcta.
d) Suma la celda A1, una constante de 3 y la celda A8.

4. La función RESIDUO:

a) Calcula el interés residual de un préstamo.
b) Devuelve el resto de una división.
c) Calcula la parte entera de una división.
d) No es una función correcta, sería RESTO.

5. Un gráfico en Excel 365 puede llegar a tener:

a) Eje X.
b) Eje X, Eje Y.
c) Eje X, Eje Y, Eje Z.
d) Eje X y Eje Z.

6. El eje de valores de un gráfico en columnas:

a) Puede ser el eje vertical.
b) Puede ser el eje horizontal.
c) Puede ser el eje vertical u horizontal.
d) Un gráfico de columnas no tiene eje de valores.

7. Si en los rótulos de la lista aparecen botones de lista desplegable es porque:

a) Se ha realizado una ordenación personalizada.
b) Se ha realizado un Filtrado.
c) Se ha realizado un Subtotal.
d) Se ha realizado un Filtro Avanzado.

8. Los datos de una lista de una hoja de cálculo se ordenan:

a) Alfabéticamente.
b) Personalizadamente.
c) Puede ser Alfabéticamente o Personalizadamente.
d) Por la fila de las celdas afectadas.

9. El área de trazado de un gráfico:

a) Es el área total ocupada por el gráfico.
b) Es el área que ocupa la representación de las series de datos.
c) Es el área que ocupan el título y la leyenda del gráfico.
d) Es el área que ocupa la leyenda y los rótulos de datos.

10. En un ejercicio de consolidación de diferentes hojas en varios libros, ¿cuál de los siguientes comentarios es verdadero?

a) El tamaño de los rangos usados tiene que ser el mismo.
b) No pueden usarse rangos de diferentes libros.
c) Ambas son verdaderas.
d) Ambas son falsas.

11. Las constantes de Excel 365 pueden ser valores:

a) Numéricos y de tipo texto.
b) Horas y Fechas.
c) Numéricos, de texto, horas y fechas.
d) Numéricos, de texto, horas y fechas y booleanos.

12. Si queremos eliminar un comentario que tiene una celda de Excel 365, ¿a qué ficha tenemos que acceder?

a) Revisar.
b) Comentarios.
c) Datos.
d) Programador.

13. Un encabezado en Excel 365 es la parte de la Hoja que está:

a) Entre el borde inferior y el margen superior.
b) Entre el borde inferior y el margen inferior.
c) Entre el borde superior y el margen superior.
d) Entre el borde superior y el margen inferior.

14. En el asistente para convertir texto en columnas, ¿cuál no es un separador válido?

a) Tabulación.
b) Coma.
c) Punto.
d) Punto y coma.

15. En notación científica de Excel 365 el valor "1 E 3" significa:

a) 1 por 10 elevado a 3.
b) 1 por 10 logaritmo de 3.
c) 1 por 10 logaritmo neperiano de 3.
d) Ninguna es correcta.

En MADTEST tienes **más preguntas de este tema** y todos tus avances quedan registrados y se reflejan en el ranking.

¡Supera tus límites con MADTEST!

Solución al test n.º 20

1. a) Fórmulas predefinidas.

2. d) Suma las celdas A1, A8 y la A10.

3. d) Suma la celda A1, una constante de 3 y la celda A8.

4. b) Devuelve el resto de una división.

5. c) Eje X, Eje Y, Eje Z.

6. c) Puede ser el eje vertical u horizontal.

7. b) Se ha realizado un Filtrado.

8. c) Puede ser Alfabéticamente o Personalizadamente.

9. b) Es el área que ocupa la representación de las series de datos.

10. d) Ambas son falsas.

11. c) Numéricos, de texto, horas y fechas.

12. a) Revisar.

13. c) Entre el borde superior y el margen superior.

14. c) Punto.

15. a) 1 por 10 elevado a 3.

Plataforma colaborativa Teams de Microsoft 365: Uso de chat y llamadas. Estados. Estructura: Equipos, canales y conversaciones. Compartición de información. Menciones. Lanzamiento y recepción de convocatorias de reunión por videoconferencia

1. ¿Cuál de las siguientes no es una funcionalidad clave de Microsoft 365 para el trabajo colaborativo?

a) Almacenamiento local de archivos.
b) Coautoría en tiempo real.
c) Comunicación instantánea.
d) Control de versiones.

2. ¿Qué herramienta de Microsoft 365 se utiliza como repositorio de trabajo en equipo?

a) OneDrive.
b) SharePoint.
c) Teams.
d) Outlook.

3. ¿Qué permite Microsoft 365 Compliance Center en relación con Teams?

a) Crear listas de tareas.
b) Descargar contenido multimedia.
c) Auditar actividades y asegurar el cumplimiento normativo.
d) Enviar correos masivos a los equipos.

4. ¿Cuál es una de las ventajas de usar Teams para editar documentos compartidos?

a) Se necesita descargar el archivo antes de editarlo.
b) El archivo se guarda en el escritorio.
c) Se edita directamente desde el chat.
d) No se puede acceder al historial.

5. ¿Qué rol en Teams permite agregar invitados y administrar configuraciones del equipo?

a) Miembro.
b) Invitado.
c) Coordinador.
d) Propietario.

6. En el procedimiento directo para invitar a un usuario a un equipo privado, ¿qué opción no forma parte del proceso descrito?

a) Ir a Más opciones → Administrar equipo.
b) Usar Agregar miembro y buscar por nombre, correo electrónico o grupo.
c) Asignar el rol de miembro o propietario.
d) Generar un enlace universal que permita entrar sin aprobación.

7. Respecto al canal inicial de un equipo en las versiones actuales de Microsoft Teams, ¿cuál de las siguientes afirmaciones es correcta?

a) Siempre debe llamarse General y no puede modificarse.
b) Puede aparecer con otro nombre o ser renombrado por los propietarios, según la configuración aplicada.
c) Solo pueden verlo los administradores de Microsoft 365.
d) Se elimina automáticamente tras 30 días.

8. ¿Para qué sirve la opción "Chat" en el menú lateral izquierdo de Teams?

a) Ver el calendario semanal.
b) Subir archivos a la nube.
c) Iniciar nuevas conversaciones privadas.
d) Crear nuevos equipos.

9. ¿Qué permite hacer el menú que aparece al hacer clic en tu nombre de usuario en Teams?

a) Cambiar de equipo.
b) Instalar aplicaciones.
c) Cambiar la imagen de perfil y definir un mensaje de estado.
d) Ver las grabaciones de videollamadas.

10. ¿Cuál es la función de la pestaña "Archivos" en un canal de Teams?

a) Editar la configuración del canal.
b) Almacenar archivos compartidos en ese canal.
c) Subir aplicaciones.
d) Compartir enlaces a otros canales.

11. ¿Qué opción permite asignar un nombre a un chat grupal?

a) Hacer clic en "Agregar canal".
b) Ir al botón de menú lateral.
c) Pulsar la flecha junto al campo "Para".
d) Presionar Enter al final del mensaje.

12. ¿Qué opción no es un formato disponible en los mensajes de Teams?

a) Negrita.
b) Tachado.
c) Subrayado.
d) Superíndice.

13. ¿Qué sucede cuando mencionas a un usuario con @ en una conversación?

a) Solo tú puedes ver el mensaje.
b) El mensaje se elimina luego de 24 horas.
c) El usuario recibe una notificación.
d) Se guarda automáticamente en OneDrive.

14. ¿Qué función permite ver los archivos compartidos en un chat determinado?

a) Pestaña Calendario.
b) Pestaña Actividad.
c) Pestaña Equipos.
d) Pestaña Archivos.

15. Para compartir un archivo en un chat con permisos de edición, ¿qué paso es necesario?

a) Guardarlo como PDF.
b) Activar los permisos adecuados al adjuntarlo.
c) Moverlo al escritorio del equipo.
d) Editarlo en Word localmente.

En MADTEST tienes **más preguntas de este tema**, y todos tus avances quedan registrados y se reflejan en el ranking.

¡Supera tus límites con MADTEST!

Solución al test n.º 21

1. a) Almacenamiento local de archivos.

2. b) SharePoint.

3. c) Auditar actividades y asegurar el cumplimiento normativo.

4. c) Se edita directamente desde el chat.

5. d) Propietario.

6. d) Generar un enlace universal que permita entrar sin aprobación.

7. b) Puede aparecer con otro nombre o ser renombrado por los propietarios, según la configuración aplicada.

8. c) Iniciar nuevas conversaciones privadas.

9. c) Cambiar la imagen de perfil y definir un mensaje de estado.

10. b) Almacenar archivos compartidos en ese canal.

11. c) Pulsar la flecha junto al campo "Para".

12. d) Superíndice.

13. c) El usuario recibe una notificación.

14. d) Pestaña Archivos.

15. b) Activar los permisos adecuados al adjuntarlo.

TEST N.º 22

Navegadores web: Conceptos básicos y definición. Navegación por pestañas, marcadores, historial, ajustes de privacidad y seguridad. Extensiones y complementos, Navegación segura, identificación de phishing y malware

1. ¿Qué afirmación es correcta al respecto de Internet?

a) Internet es una red de ordenadores centralizada.
b) Internet es una red de ordenadores descentralizada.
c) Internet es un conjunto de ordenadores sin relación de ningún tipo.
d) Ninguna de las anteriores.

2. ¿Cuándo apareció el primer navegador Web?

a) En 1980.
b) En 1989.
c) En 1990.
d) En 1999.

3. La publicidad en la red de Internet se conoce como:

a) Banner.
b) Pop-Ups.
c) Chats.
d) Cookies.

4. ¿Cómo se denomina a la red local de datos?

a) WAN.
b) UMTS.
c) WiFi.
d) LAN.

5. ¿Cuál de los siguientes términos no está relacionado con protocolos de Internet?

a) TCP/IP.
b) HTTP.
c) Java.
d) FTP.

6. El lugar donde se ofrecen páginas de Internet para ser consultadas se denomina:

a) Proxy.
b) Server.
c) Gateway.
d) Rúter.

7. Para convertir un nombre de dominio en una dirección IP públicaa la que poder acceder se hace uso de:

a) DNS.
b) NDS.
c) SDN.
d) Gateway.

8. Para proteger nuestro PC de accesos indeseados, se puede hacer uso de:

a) Gateway.
b) Router.
c) Firewall.
d) Ninguna de las respuestas anteriores es correcta.

9. ¿Cuál es una de las particularidades del protocolo TCP/IP?

a) Es un protocolo específico para dispositivos móviles.
b) No permite detectar paquetes perdidos.
c) Permite identificar paquetes no recibidos y solicitarlos de nuevo.
d) Ninguna de las anteriores.

10. ¿Qué pretenden los operadores con el uso del CG-NAT?

a) Usar una misma IP pública para varios usuarios.
b) Aumentar la velocidad de las conexiones.
c) Generar más tráfico en la red.
d) Ninguna de las anteriores.

11. Indica cuál de las siguientes direcciones IP es errónea:

a) 192.168.2.1
b) 192.256.2.5
c) 80.52.63.5
d) 123.2.1.1

12. Indica cuál de las siguientes opciones no es un navegador de Internet:

a) Edge.
b) Chrome.
c) Safari.
d) Filezilla.

13. Para ver el histórico de navegación en Edge, podemos hacer uso de la combinación de teclas:

a) Ctrl + Mayús + H.
b) Ctrl + H.
c) Mayús + H.
d) Ninguna de las anteriores

14. ¿Qué formato de compresión de imágenes se suele usar para las webs?

a) RAW.
b) MPEG.
c) JPG.
d) BMP.

15. Los enlaces a páginas web o partes de un documento se denominan:

a) Vínculos.
b) Anclas.
c) Extensiones.
d) Ventanas.

En MADTEST tienes **más preguntas de este tema**, y todos tus avances quedan registrados y se reflejan en el ranking.

¡Supera tus límites con MADTEST!

Solución al test n.º 22

1. b) Internet es una red de ordenadores descentralizada.

2. c) En 1990.

3. a) Banner.

4. d) LAN.

5. c) Java.

6. b) Server.

7. a) DNS.

8. c) Firewall.

9. c) Permite identificar paquetes no recibidos y solicitarlos de nuevo.

10. a) Usar una misma IP pública para varios usuarios.

11. b) 192.256.2.5.

12. d) Filezilla.

13. a) Ctrl + H.

14. c) JPG.

15. a) Vínculos.

Herramientas de Inteligencia Artificial (IA): Nociones sobre el uso, la fiabilidad y los riesgos en el puesto de trabajo. Prompting básico

1. ¿Qué característica distingue fundamentalmente a la inteligencia artificial respecto a un programa tradicional?

a) Usa instrucciones fijas para resolver problemas.
b) Es capaz de conectarse a Internet sin supervisión.
c) Puede aprender de los datos y adaptarse a nuevas situaciones.
d) Solo funciona con software de código abierto.

2. ¿Cuál fue un hito importante en la historia de la IA durante los años 80-90?

a) Aparición de la IA generativa.
b) Desarrollo de asistentes de voz.
c) Sistemas expertos en campos como medicina o ingeniería.
d) Uso de robots humanoides en oficinas.

3. ¿Cuál de los siguientes ejemplos representa una IA débil o estrecha?

a) Un sistema de reconocimiento facial que aprende idiomas.
b) Un asistente que recomienda productos en una tienda online.
c) Una IA capaz de razonar como un ser humano.
d) Una IA que escribe novelas creativas sin ayuda.

4. ¿Qué permite el uso de IA en Microsoft Word?

a) Enviar correos electrónicos de forma automática.
b) Programar citas con clientes.
c) Redacción predictiva y sugerencias de estilo.
d) Traducir audios en tiempo real.

5. ¿Cuál de las siguientes herramientas combina IA con visualización de datos?

a) Canva IA.
b) Microsoft Teams.

c) DALL·E.
d) Power BI.

6. Según el tema, ¿qué afirmación es correcta sobre los chatbots en entornos públicos?

a) Pueden sustituir siempre la resolución administrativa definitiva.
b) Deben ocultar al ciudadano que está interactuando con un sistema automatizado.
c) Pueden responder preguntas frecuentes, orientar sobre trámites y derivar casos complejos al personal competente.
d) Tienen capacidad para resolver cualquier expediente sin intervención humana.

7. ¿Qué representa un riesgo claro del uso inadecuado de IA?

a) Reducción del uso de software libre.
b) Incremento de gastos tecnológicos.
c) Pérdida de autonomía profesional.
d) Mejora excesiva de la productividad.

8. ¿Qué debe evitarse al usar herramientas de IA generativa en entornos administrativos?

a) Utilizar prompts detallados y contextualizados.
b) Usar la IA para redactar borradores revisables.
c) Introducir datos personales, reservados o confidenciales en herramientas no autorizadas por la organización.
d) Usar la IA como apoyo para tareas repetitivas.

9. ¿Qué permite hacer Copilot dentro de PowerPoint?

a) Añadir efectos 3D personalizados.
b) Crear una presentación completa desde un texto descriptivo.
c) Insertar gráficos de Excel.
d) Validar enlaces externos automáticamente.

10. ¿Cuál es una utilidad de la IA en Outlook?

a) Enviar SMS masivos desde el calendario.
b) Priorizar mensajes, sugerir respuestas y ayudar en la redacción de correos.
c) Crear vídeos institucionales automáticamente.
d) Sustituir la firma digital del usuario.

11. ¿Qué herramientas se citan en el tema como ejemplos para diseñar imágenes mediante IA?

a) Power BI y SharePoint.
b) DALL·E y Canva IA.

c) Outlook y Excel.
d) Teams y OneDrive.

12. ¿Cuál de estos prompts corresponde a uno de tipo instructivo?

a) "Genera un poema sobre el invierno"
b) "¿Qué es el RGPD?"
c) "¿Qué errores ortográficos hay en este párrafo?"
d) "Dime cómo insertar una tabla dinámica en Excel paso a paso"

13. ¿Cuál es una de las principales limitaciones mencionadas de la IA?

a) Uso exclusivo de datos en inglés.
b) No puede generar contenido creativo.
c) Puede ofrecer respuestas con errores o sesgos.
d) Necesita conexión física con un servidor.

14. ¿Qué ventaja ofrece la IA en la creación de documentos?

a) Impresión automática de informes.
b) Redacción de borradores y reformulación de frases.
c) Firma automática de contratos.
d) Eliminación del lenguaje técnico.

15. ¿En qué plataforma se citan funciones de IA para resumir reuniones, identificar tareas y generar actas automáticamente?

a) PowerPoint.
b) SharePoint.
c) Microsoft Teams.
d) Excel.

En MADTEST tienes **más preguntas de este tema**, y todos tus avances quedan registrados y se reflejan en el ranking.

¡Supera tus límites con MADTEST!

Solución al test n.º 23

1. c) Puede aprender de los datos y adaptarse a nuevas situaciones.

2. c) Sistemas expertos en campos como medicina o ingeniería.

3. b) Un asistente que recomienda productos en una tienda online.

4. c) Redacción predictiva y sugerencias de estilo.

5. d) Power BI.

6. c) Pueden responder preguntas frecuentes, orientar sobre trámites y derivar casos complejos al personal competente.

7. c) Pérdida de autonomía profesional.

8. c) Introducir datos personales, reservados o confidenciales en herramientas no autorizadas por la organización.

9. b) Crear una presentación completa desde un texto descriptivo.

10. b) Priorizar mensajes, sugerir respuestas y ayudar en la redacción de correos.

11. b) DALL·E y Canva IA.

12. d) "Dime cómo insertar una tabla dinámica en Excel paso a paso"

13. c) Puede ofrecer respuestas con errores o sesgos.

14. b) Redacción de borradores y reformulación de frases.

15. c) Microsoft Teams.

Cómo acceder al Curso
Cuerpo Administrativo (C1-01)
Test del temario

El uso de los códigos **es exclusivo de los compradores de los productos de Editorial MAD**. Cada producto posee un código único y de un solo uso. Es personal e intransferible y da acceso a servicios y contenidos adicionales. Editorial MAD se reserva el derecho de hacer cuantas comprobaciones sean necesarias para identificar al legítimo poseedor del código y dejar de dar servicio a quien haga uso fraudulento del mismo, además de emprender cuantas acciones legales estime oportunas según la legislación vigente.

Deberás acceder a:

mad.es/registro-campus

Si una vez aceptadas las condiciones de uso del Campus decides hacer uso del mismo, necesitarás del siguiente código de acceso junto con los códigos del resto de títulos que se exigen (si fuera el caso):

M7PXK23FJ5